2025年度版

TAC税理士講座

税理士受験シリーズ

40

酒税法

理論マスター

TAC出版
TAC PUBLISHING Group

はじめに

これまでの本試験の理論問題の出題分析から、出題の可能性の高い分野を厳選した上で、条文に忠実に表現しつつ、受験生が覚えやすい表現に改めるなどの工夫を加えて収録した。また、本試験で関連規定とともに問われる趣旨についても合格点を取るために十分な内容のものを収録した。

なお、総合、応用理論対策として、過去本試験の理論問題の解答を収録することにより、本書でマスターした個別理論のまとめ方等を示した。

言うまでもなく、税法の理論問題を解答するに当たって、自己流の作文理論では合格点を取ることは難しい。本書を完璧にマスターすることにより、一人でも多くの受験生が酒税法合格の栄冠を勝ち取られんことを願ってやまない。

（本書は令和６年10月までの施行法令に準拠している。）

ＴＡＣ税理士講座

凡　　　例

法 ··············	酒税法
令 ··············	酒税法施行令
規 ··············	酒税法施行規則
措法 ············	租税特別措置法
措令 ············	租税特別措置法施行令
措規 ············	租税特別措置法施行規則
解通 ············	法令解釈通達

引　用　例

法６の３①一 ····	酒税法第６条の３第１項第１号

本書を使用する際の注意点

1　テーマについて

法体系の確認がしやすいように、各理論問題については、テーマごとに分けて収録し、各テーマをページの上部に表示してあります。

また、各理論問題は、各テーマに属する枝番号（1－1等）で表示してあります。

法令の体系的な学習（応用理論対策等）に役立ててください。

2　ランクについて

各理論問題について、その科目を学習する上での重要度（ランク）を、理論問題のタイトルの横に表示してあります。

理論学習をする際の指針としてください。

ランクＡ　……　学習をするにあたって非常に重要度の高い理論問題
ランクＢ　……　学習をするにあたって比較的重要度の高い理論問題
ランクＣ　……　学習をするにあたって比較的重要度の低い理論問題

3　重要度について

各理論問題の中の各項目について、その理論問題の中での重要度を、項目のタイトルの横に表示してあります。

理論学習をする際の指針としてください。

◎　……　その理論問題の中で非常に重要度の高い項目
○　……　その理論問題の中で比較的重要度の高い項目
△　……　その理論問題の中で比較的重要度の低い項目

4　カッコ書きについて

本文中のカッコ書きについては、本文との区別がしやすいように文字の大きさを小さくして収録してあります。

まずはカッコ書きを除いて文章を確認し、その後、カッコ書きを付け足す形で確認をすると学習しやすくなりますので、参考にしてください。

5　条文番号について

各理論問題の中の各項目について、参照して頂く条文番号を表示してありますが、条文番号については暗記（解答）する必要はありません。

CONTENTS

目　　次

厳選個別理論

テーマ１：納税義務の成立

１－１　納税義務の成立 …… 4

テーマ２：製造免許及び販売業免許

２－１　酒類の製造免許 …… 8
２－２　酒母又はもろみの製造免許 …… 12
２－３　酒類の販売業免許 …… 14
２－４　製造免許等の欠格要件 …… 18
２－５　必要な行為の継続等 …… 20

テーマ３：免　　税

３－１　未納税移出 …… 24
３－２　未納税引取 …… 28
３－３　輸出免税 …… 30
３－４　外航船等に積み込む酒類の免税等 …… 32
３－５　輸出酒類販売場から移出する酒類に係る酒税の免税 …… 34

テーマ４：税額控除

４－１　酒税額の控除等 …… 38
４－２　被災酒類の酒税額の控除等 …… 40

テーマ５：申告及び納付等

５－１　移出酒類についての申告及び納付等 …… 44
５－２　引取酒類についての申告及び納付等 …… 48
５－３　納期限の延長 …… 50

テーマ６：その他

６－１　みなし製造 …… 54
６－２　納税の担保 …… 60
６－３　原料用酒類の移出の禁止 …… 62
６－４　酒母又はもろみの処分又は移出の禁止 …… 64
６－５　酒類製造者等の受忍義務 …… 66
６－６　酒類の定義等 …… 70

過去本試験理論問題

第31回・昭和56年度 …… 78
第32回・昭和57年度 …… 80
第33回・昭和58年度 …… 82
第34回・昭和59年度 …… 84
第35回・昭和60年度 …… 86
第36回・昭和61年度 …… （改正により削除された規定に関する出題のため省略）
第37回・昭和62年度 …… 88
第38回・昭和63年度 …… 90
第39回・平成元年度 …… 94
第40回・平成２年度 …… 95
第41回・平成３年度 …… 96
第42回・平成４年度 …… 100
第43回・平成５年度 …… 102
第44回・平成６年度 …… 104
第45回・平成７年度 …… 105
第46回・平成８年度 …… 106
第47回・平成９年度 …… 109
第48回・平成10年度 …… 110
第49回・平成11年度 …… 114
第50回・平成12年度 …… 116
第51回・平成13年度 …… 120
第52回・平成14年度 …… 124
第53回・平成15年度 …… 128
第54回・平成16年度 …… 132
第55回・平成17年度 …… 136
第56回・平成18年度 …… 140
第57回・平成19年度 …… 144
第58回・平成20年度 …… 148
第59回・平成21年度 …… 152
第60回・平成22年度 …… 156
第61回・平成23年度 …… 158
第62回・平成24年度 …… 162
第63回・平成25年度 …… 166
第64回・平成26年度 …… 168
第65回・平成27年度 …… 172
第66回・平成28年度 …… 176
第67回・平成29年度 …… 178
第68回・平成30年度 …… 182
第69回・令和元年度 …… 186
第70回・令和２年度 …… 190
第71回・令和３年度 …… 194
第72回・令和４年度 …… 198
第73回・令和５年度 …… 202

厳選個別理論

テーマ1

納税義務の成立

1−1　納税義務の成立　〔ランクA〕

■趣　旨■　重要度○

酒税を最終的に負担する者は、その酒類を飲用する消費者である。したがって、その課税方式は、消費税本来の建前からいえば、できるだけ最終消費に近い時点をとらえることが望ましい。しかし、徴税技術の点から、酒税法では、酒類の生産、販売、消費の各段階の中で関係者の最も少ないものとして、国産酒類については酒類の製造者を、輸入酒類については酒類引取者を酒税の納税義務者とし、それぞれ、酒類を製造場から移出した時又は保税地域から引き取った時をとらえて納税義務を発生させることにしている。

また、酒税法ではこのほかに、酒税の確保を図る必要から、例外的な措置として、製造場からの移出又は保税地域からの引取りそのものではない場合であっても、移出又は引取りとみなして納税義務を発生させることにしている。

なお、酒税法の規定に違反した場合には、製造場からの移出に該当せず、移出とみなす規定もないが、納税義務の成立の原則に対する例外として、納税義務が発生するものとして、直ちにその酒税が徴収され、罰則に処せられることになる。

１．納税義務者の原則（法６）　重要度◎

(1) 酒類の製造者は、その製造場から移出した酒類につき、酒税を納める義務がある。

(2) 酒類を保税地域から引き取る者は、その引き取る酒類につき、酒税を納める義務がある。

２．移出又は引取り等とみなす場合（法６の３）　重要度◎

(1) 次のいずれかに該当するときは、その該当することとなった時にその酒類等をその製造場から移出したものとみなす。

① 酒類等が酒類等の製造場において飲用された場合において、その飲用につき、その製造者の責めに帰することができるとき。

② 酒類の製造免許に付された期限が経過した場合もしくは酒類等の製造免許が取り消された場合又は酒類等の製造者の相続人につき酒類等の製造免許を受けたものとみなされない場合において、その取り消された又は消滅した製造免許に係る酒類等がその製造場に現存するとき。

ただし、その期限の経過又は申請に基づく製造免許の取消しと同時に必要な行為の継続の規定による酒類の販売の継続を認められた場合を除く。

③ 酒類等の製造免許を強制的に取り消された者が必要な行為の継続の規定の適用を受けて酒類等を製成したとき。

④ 酒類等の製造場に現存する酒類等が滞納処分、強制執行、担保権の実行としての競売、企業担保権の実行手続又は破産手続により換価されたとき。

ただし、未納税移出の規定の適用を受けて酒類の製造場からその酒類を移出する場合を除く。

(2) 酒類等が酒類等の製造者の製造場において飲用された場合において、その飲用につき、その製造者の責めに帰することができないときは、その飲用者をその酒類等に係る酒類等の製造者とみなし、その飲用者が飲用の時にその酒類等をその製造場から移出したものとみなす。

(3) 酒類等が保税地域において飲用される場合には、その飲用者が飲用の時にその酒類等をその保税地域から引き取るものとみなす。

(4) 酒類等が酒類等の製造者の製造場から移出された場合において、その移出につき、その製造者の責めに帰することができないときは、その酒類等を移出した者を酒類等の製造者とみなす。

(5) 酒母又はもろみについて(1)から(4)までの規定の適用があった場合においては、その酒母又はもろみは、その他の醸造酒とみなし、酒母又はもろみの製造者（酒母又はもろみの製造者とみなされた者を含む。）は、その他の醸造酒の製造者とみなす。

３．収去酒類の非課税（法６の４、令10）　重要度○

次に掲げる酒類がその製造場から移出され、又は保税地域から引き取られる場合には、その酒類には、酒税を課さない。

(1) 食品衛生法の規定により収去される酒類

(2) 医薬品、医療機器等の品質、有効性及び安全性の確保等に関する法律の規定により収去される酒類

(3) 食品表示法の規定により収去される酒類

４．酒税法の規定に違反した場合の納税義務の成立及び罰則（法54①②⑤⑥、56①五③、58①五・六・七・八②～④）

重要度○

次のいずれかに該当する場合には、酒税法の規定に違反したことにより、直ちにその酒税を徴収する。

ただし、(1)又は(2)の場合において、没収された酒類等には、酒税を課さない。

また、(1)、(2)、(5)又は(6)の場合において、酒母又はもろみは、その他の醸造酒とみなす。

(1) 酒類等の製造免許を受けないで、酒類等を製造した場合又は酒類等の製造に着手してこれを遂げない場合。（10年以下の懲役又は原則100万円以下の罰金）

(2) 法令において認められる場合のほか、製造免許を受けない者の製造した酒類等又は輸入した酒類等で関税法の規定による輸入の許可を受けないものを所持し、譲り渡し、又は譲り受けた場合において、酒類等の製造者が判明しないとき。（１年以下の懲役又は50万円以下の罰金）

(3) 酒類製造者が担保を提供し、もしくは納税の担保として酒類の保存につき承認を受けるまで容器に封を施された酒類又は納税の担保としての保存酒類を処分し、又は製造場から移出した場合。（１年以下の懲役又は50万円以下の罰金）

(4) 酒類製造者が製造免許を受けないで製造した原料用酒類を承認を受けないで製造場から移出した場合。（１年以下の懲役又は50万円以下の罰金）

(5) 酒母又はもろみの製造者が酒母又はもろみを承認を受けないで処分し、又は製造場から移出した場合。（１年以下の懲役又は50万円以下の罰金）

(6) 酒母又はもろみの製造者が不可飲処置の命令に違反して酒母又はもろみを処分し、又は製造場から移出した場合。（１年以下の懲役又は50万円以下の罰金）

５．用語の意義

重要度○

(1) 酒類等とは、酒類又は酒母もしくはもろみをいう。

(2) 酒類製造者とは、酒類の製造免許を受けた者をいう。

テーマ2

製造免許及び販売業免許

2－1　酒類の製造免許　〔ランクＡ〕

■趣　旨■　重要度○

酒類に課されている酒税は高率であり、その税額は我が国の租税収入の中でも重要な地位を占めていることから、酒類の製造に何らの制限を設けず全く自由にしておくと、経営の基礎の薄弱な者が製造者になったり、また、製造者が乱立して生産過剰となり、値引乱売等による過当競争が行われるなどして、その結果、酒税の確保が困難となるおそれが生じてくる。そこで、酒税の確保を図るために、不適格者を排除し、また、製造者の乱立を来さないようにする必要があることから、酒類の製造については、免許制度が採られている。

１．酒類の製造免許（法７①）　重要度◎

(1) 製造免許の取得義務

酒類を製造しようとする者は、製造しようとする酒類の品目別に、製造場ごとに、その製造場の所在地の所轄税務署長の製造免許を受けなければならない。

(2) 製造免許を要しない場合

酒類製造者が、その製造免許を受けた製造場においてその酒類の原料とするため製造する酒類については、製造免許を要しない。

２．法定製造数量　重要度◎

(1) 趣　旨

製造数量の最低限度を設けていないとすると、弱小の酒類製造者が乱立し、限度を超えた販売競争が行われて酒類業界の安定を欠くことになり、酒税の確保に支障が生ずるおそれがある。また、国民の保健衛生上、弱小の酒類製造者に酒類の品質を一定水準以上に保つことを期待することは難しい場合がある。さらに、酒税の検査取締りの上からも手数を要することになる。このような理由から、酒類の製造免許は、製造数量に最低限度を設け、企業として一般的に採算の採れる程度以上の経営規模の者に限ってこれを付与することにし、酒税の確保等に支障が生じないようにしている。

なお、特定の酒類につき、その他の種類の酒類と併せて製造する場合において、製造する酒類の原料、製造方法又は使用する製造設備等について密接な関係を有するときや酒類の製造を業としない試験製造の場合については、製造規模を考慮する必要がないと認められるため、法定製造数量の適用除外とされている。また、清酒の輸出拡大に向けた取組み等を後押しする観点から、輸出するために清酒を製造しようとする場合についても、法定製造数量の適用除外とされている。

(2) 製造免許を受けることができない場合（法７②、令12の３）

酒類の製造免許は、一の製造場において製造免許を受けた後１年間に製造しようとする酒類の見込数量がその酒類につき次に定める数量に達しない場合には、受けることができない。

なお、粉末酒に係る数量の計算は、その重量に0.73（１kg当たりのℓ数）を乗じて計算する方法により行う。

① 清　酒　60kℓ
② 合成清酒　60kℓ
③ 連続式蒸留焼酎　60kℓ
④ 単式蒸留焼酎　10kℓ
⑤ みりん　10kℓ
⑥ ビール　60kℓ
⑦ 果実酒　６kℓ
⑧ 甘味果実酒　６kℓ
⑨ ウイスキー　６kℓ
⑩ ブランデー　６kℓ
⑪ 原料用アルコール　６kℓ
⑫ 発泡酒　６kℓ
⑬ その他の醸造酒　６kℓ
⑭ スピリッツ　６kℓ
⑮ リキュール　６kℓ
⑯ 粉末酒　６kℓ
⑰ 雑　酒　６kℓ

(3) 適用除外（法７③⑦、令12の２、12の４）

(2)の規定は、次に掲げる場合には、適用しない。

① 清酒の製造免許を受けた者が、その製造免許を受けた製造場において、単式蒸留焼酎又はみりんを製造しようとする場合。

② 連続式蒸留焼酎又は単式蒸留焼酎の製造免許を受けた者が、その製造免許を受けた製造場において、みりんを製造しようとする場合。

③ 果実酒又は甘味果実酒の製造免許を受けた者がブランデーを製造しようとする場合。

④ 試験のために酒類を製造しようとする場合。

⑤ 輸出するために清酒を製造しようとする場合。

⑥ 一の製造場において清酒及び合成清酒を製造しようとする場合で、製造免許を受けた後１年間におけるその製造見込数量の合計が60kℓ以上であるとき。

⑦ 一の製造場において連続式蒸留焼酎及び単式蒸留焼酎を製造しようとする場合で、製造免許を受けた後１年間におけるその製造見込数量の合計が60kℓ以上であるとき。

⑧ 清酒、連続式蒸留焼酎、単式蒸留焼酎、ウイスキー、ブランデー、原料用アルコール又はスピリッツの製造免許を受けた者が、その製造免許を受けた製造場において、自己の製造したこれらの酒類を原料としてリキュールを製造しようとする場合。

⑨ 一の製造場において果実酒及び甘味果実酒を製造しようとする場合で、製造免許を受けた後１年間におけるその製造見込数量の合計が６kℓ以上であるとき。

⑩　一の製造場においてウイスキー及びブランデーを製造しようとする場合で、製造免許を受けた後１年間におけるその製造見込数量の合計が６kℓ以上であるとき。

⑪　一の製造場において原料用アルコール及びスピリッツを製造しようとする場合で、製造免許を受けた後１年間におけるその製造見込数量の合計が６kℓ以上であるとき。

※　①の規定、⑥の規定及び⑧の規定（清酒の製造免許を受けた者に係る部分に限る。）は、⑤の規定の適用を受けて清酒の製造免許を受けた者については、適用しない。

３．製造免許の期限（法７④⑤）　重要度○

(1) 酒類の製造免許を与える場合において、製造される酒類の品質につき充分な保証がないため特に必要があると認められるときは、税務署長は、その製造免許につき期限を付することができる。

(2) (1)の期限を付した製造免許を与えた後に生じた事由により特に必要があると認められるときは、税務署長は、その期限を延長することができる。

４．製造免許の条件（法11）　重要度△

(1) 税務署長は、酒類の製造免許を与える場合において、酒税の保全上酒類の需給の均衡を維持するため必要があると認められるときは、製造する酒類の数量又は範囲につき条件を付することができる。

(2) 税務署長は、(1)の条件を付した後において、その必要がなくなったときは、その条件を緩和し、又は解除しなければならない。

５．製造免許の取消し（強制取消し）（法12）　重要度○

酒類製造者が次のいずれかに該当する場合には、税務署長は、酒類の製造免許を取り消すことができる。

(1) 偽りその他不正の行為により酒類の製造免許を受けた場合。

(2) 製造免許の欠格要件に規定する者に該当することになった場合又は酒税に係る滞納処分を受けた場合。

(3) ３年以上引き続き酒類を製造しない場合。

(4) ３年以上引き続き酒類の製造数量が法定製造数量に達しない場合。ただし、法定製造数量の適用除外の規定の適用を受ける場合を除く。

(5) 命ぜられた担保の提供又は酒類の保存をしない場合。

(6) 酒税の保全及び酒類業組合等に関する法律の規定による命令に違反した場合。

６．製造の廃止（任意取消し）(法17①)

重要度○

酒類製造者がその製造の全部又は一部を廃止しようとするときは、その製造の廃止に係る製造場の所在地の所轄税務署長に酒類の製造免許の取消しを申請しなければならない。

７．製造場の移転の許可 (法16)

重要度△

(1) 酒類製造者は、その酒類の製造場を移転しようとするときは、移転先の所轄税務署長の許可を受けなければならない。

(2) (1)の場合において、移転先につき製造免許の欠格要件があるときは、税務署長は、その許可を与えないことができる。

８．製造業の相続等 (法19)

重要度○

(1) 酒類製造者につき相続があった場合又は酒類製造者（個人に限る。）が酒類の製造免許に係る製造業の全部の譲渡（以下「事業譲渡」という。）を行った場合において、引き続きその製造業をしようとする相続人又は譲受者（以下「相続人等」という。）は、一定の手続により、遅滞なく、その旨をその製造場の所在地の所轄税務署長に申告しなければならない。

(2) (1)の申告をした相続人等が製造免許の欠格要件に規定する者に該当しないときは、その相続人等は、その相続又は事業譲渡の時において、被相続人又は譲渡者が受けていた酒類の製造免許を受けたものとみなし、その譲渡者に係る製造免許は、その効力を失う。

９．用語の意義

重要度○

酒類製造者とは、酒類の製造免許を受けた者をいう。

2−2　酒母又はもろみの製造免許　〔ランクB〕

■趣　旨■　重要度○

酒母又はもろみは酒類の必須原料であり、特にもろみは濁酒そのものということもできるので、酒類の製造について免許制度を採ることとする以上、酒類の密造を防止し、もろみが飲用された場合における酒類との課税の公平を図るため、酒母又はもろみの製造については、免許制度が採られている。

1．酒母又はもろみの製造免許（法8）　重要度◎

(1)　製造免許の取得義務

酒母又はもろみを製造しようとする者は、製造場ごとに、その製造場の所在地の所轄税務署長の製造免許を受けなければならない。

(2)　製造免許を要しない場合

次に掲げる場合においては、製造免許を要しない。

①　酒類製造者が、その製造免許を受けた製造場において、その酒類の製造の用に供するため、酒母又はもろみを製造する場合。

②　もろみの製造免許を受けた者が、その製造免許を受けた製造場において、そのもろみの製造の用に供するため、酒母を製造する場合。

③　アルコール事業法の規定によりアルコールの製造の許可又は承認を受けた者が、そのアルコールの製造の用に供するため、酒母又はもろみを製造する場合。

2．製造免許の取消し（強制取消し）（法13）　重要度○

酒母等の製造者が次のいずれかに該当する場合には、税務署長は、酒母又はもろみの製造免許を取り消すことができる。

(1)　偽りその他不正の行為により酒母又はもろみの製造免許を受けた場合。

(2)　製造免許の欠格要件に規定する者に該当することになった場合又は酒税に係る滞納処分を受けた場合。

(3)　3年以上引き続き酒母又はもろみを製造しない場合。

3．製造の廃止（任意取消し）（法17①）　重要度○

酒母等の製造者がその製造の全部又は一部を廃止しようとするときは、その製造の廃止に係る製造場の所在地の所轄税務署長に酒母又はもろみの製造免許の取消しを申請しなければならない。

４．製造場の移転の許可（法16）

重要度△

(1) 酒母等の製造者は、その酒母又はもろみの製造場を移転しようとするときは、移転先の所轄税務署長の許可を受けなければならない。

(2) (1)の場合において、移転先につき製造免許の欠格要件があるときは、税務署長は、その許可を与えないことができる。

５．製造業の相続等（法19）

重要度○

(1) 酒母等の製造者につき相続があった場合又は酒母等の製造者（個人に限る。）が酒母もしくはもろみの製造免許に係る製造業の全部の譲渡（以下「事業譲渡」という。）を行った場合において、引き続きその製造業をしようとする相続人又は譲受者（以下「相続人等」という。）は、一定の手続により、遅滞なく、その旨をその製造場の所在地の所轄税務署長に申告しなければならない。

(2) (1)の申告をした相続人等が製造免許の欠格要件に規定する者に該当しないときは、その相続人等は、その相続又は事業譲渡の時において、被相続人又は譲渡者が受けていた酒母もしくはもろみの製造免許を受けたものとみなし、その譲渡者に係る製造免許は、その効力を失う。

６．用語の意義

重要度○

(1) 酒類製造者とは、酒類の製造免許を受けた者をいう。

(2) 酒母等の製造者とは、酒母又はもろみの製造免許を受けた者をいう。

2−3　酒類の販売業免許　〔ランクB〕

■趣　旨■　重要度○

酒類販売業者は、酒類が製造場から移出されて一般消費者の手に渡るまでの流通過程の部門を担当しており、いわば酒税の中間徴税機関ともいえる地位にあることから、その乱立を防止して取引の混乱を防ぎ、酒税の徴収について不安のないようにする必要があるため、酒類の販売業については、免許制度が採られている。

1．酒類の販売業免許（法９①）　重要度◎

(1) 販売業免許の取得義務

酒類の販売業をしようとする者は、販売場（継続して販売業をする場所をいう。）ごとにその販売場の所在地（販売場を設けない場合には、住所地）の所轄税務署長の販売業免許を受けなければならない。

(2) 販売業免許を要しない場合

次に掲げる販売業等については、販売業免許を要しない。

①　酒類製造者がその製造免許を受けた製造場においてする酒類（その製造場について製造免許を受けた酒類と同一の品目の酒類及び製造免許を受けないで製造した原料用酒類で所轄税務署長の承認を受けたものに限る。）の販売業

②　酒場、料理店その他酒類をもっぱら自己の営業場において飲用に供する業

2．販売業免許の期限（法９②③）　重要度△

(1) 酒類の販売業免許を与える場合において、その販売業免許を受けようとする者が博覧会場、即売会場その他これらに類する場所で臨時に販売場を設けて酒類の販売業をしようとする者であると認められるときは、税務署長は、その販売場に係る販売業免許につき期限を付することができる。

(2) (1)の期限を付した販売業免許を与えた後に生じた事由により特に必要があると認められるときは、税務署長は、その期限を延長することができる。

３．販売業免許の条件（法11）　重要度△

(1) 税務署長は、酒類の販売業免許を与える場合において、酒税の保全上酒類の需給の均衡を維持するため必要があると認められるときは、販売する酒類の範囲又はその販売方法につき条件を付することができる。
(2) 税務署長は、(1)の条件を付した後において、その必要がなくなったときは、その条件を緩和し、又は解除しなければならない。

４．販売業免許の取消し（強制取消し）（法14）　重要度○

酒類販売業者が次のいずれかに該当する場合には、税務署長は、酒類の販売業免許を取り消すことができる。
(1) 偽りその他不正の行為により酒類の販売業免許を受けた場合。
(2) 販売業免許の欠格要件に規定する者に該当することになった場合。
(3) ２年以上引き続き酒類の販売業をしない場合。
(4) 酒税の保全及び酒類業組合等に関する法律の規定による命令に違反した場合。

５．販売業の廃止（任意取消し）（法17②）　重要度○

酒類販売業者がその販売業を廃止しようとするとき（その販売場の全部又は一部を廃止しようとするときを含む。）は、その販売業の廃止に係る販売場の所在地（販売場がない場合には、住所地）の所轄税務署長に酒類の販売業免許の取消しを申請しなければならない。

６．販売場の移転の許可（法16）　重要度△

(1) 酒類販売業者は、その酒類の販売場を移転しようとするときは、移転先の所轄税務署長の許可を受けなければならない。
(2) (1)の場合において、移転先につき販売業免許の欠格要件があるときは、税務署長は、その許可を与えないことができる。

７．住所の移転の申告義務（法18）　重要度△

販売場を設けていない酒類販売業者がその住所を移転したときは、その旨を移転先の所轄税務署長に申告しなければならない。

８．販売業の相続等（法19）

重要度○

(1) 酒類販売業者につき相続があった場合又は酒類販売業者（個人に限る。）が酒類の販売業免許に係る販売業の全部の譲渡（以下「事業譲渡」という。）を行った場合において、引き続きその販売業をしようとする相続人又は譲受者（以下「相続人等」という。）は、一定の手続により、遅滞なく、その旨をその販売場の所在地（販売場がない場合には、相続人等の住所地）の所轄税務署長に申告しなければならない。

(2) (1)の申告をした相続人等が販売業免許の欠格要件に規定する者に該当しないときは、その相続人等は、その相続又は事業譲渡の時において、被相続人又は譲渡者が受けていた酒類の販売業免許を受けたものとみなし、その譲渡者に係る販売業免許は、その効力を失う。

９．用語の意義

重要度○

(1) 酒類の販売業とは、酒類の販売業又は販売の代理業もしくは媒介業をいう。

(2) 酒類製造者とは、酒類の製造免許を受けた者をいう。

(3) 酒類販売業者とは、酒類の販売業免許を受けた者をいう。

(MEMO)

2－4　製造免許等の欠格要件　〔ランクC〕

■趣　旨■　重要度○

製造免許等は、税務署長が行う行政処分であるため、次に掲げる相当の理由がある場合には、税務署長はその裁量によって、製造免許等を与えないことができることにしている。ただし、製造免許等を与えるかどうかについては、国民の営業活動に及ぼす影響が極めて大きいため、税務署長の恣意によって、製造免許等の拒否処分が行われることを禁じ、かつ、国民の基本的な権利を尊重しようとしている。

(1) 免許の申請者又はその代理人、役員（法人の場合）等が、過去において法律違反の事実があった等、遵法精神に欠けるところがあると認められる場合。

(2) 免許の申請者が高率の酒税を課せられる酒類を取り扱う業者としては、資力が不十分であり、あるいは経営の基礎が薄弱であると認められる場合。

(3) その他税務行政上の見地から、製造免許等を与えることが適当でないと認められる場合。

1．製造免許等の欠格要件（法10）　重要度○

酒類の製造免許、酒母もしくはもろみの製造免許又は酒類の販売業免許の申請があった場合において、次のいずれかに該当するときは、税務署長は、酒類の製造免許、酒母もしくはもろみの製造免許又は酒類の販売業免許を与えないことができる。

(1) 免許の申請者が酒類の製造免許、酒母もしくはもろみの製造免許もしくは酒類の販売業免許を取り消され、又はアルコール事業法の規定により許可を取り消された日から３年を経過するまでの者である場合。

(2) 酒類製造者もしくは酒類販売業者である法人が酒類の製造免許もしくは酒類の販売業免許を取り消された場合又はアルコール事業法の許可を受けた法人が同法の規定により許可を取り消された場合において、それぞれ、その取消しの原因となった事実があった日以前１年内にその法人の業務を執行する役員であった者でその法人がその取消処分を受けた日から３年を経過するまでのものが酒類の製造免許、酒母もしくはもろみの製造免許又は酒類の販売業免許を申請した場合。

(3) 免許の申請者が営業に関し成年者と同一の能力を有しない未成年者であって、その法定代理人が(1)、(2)又は(7)から(9)までに規定する者である場合。

(4) 免許の申請者又は(3)に規定する法定代理人が法人であって、その役員のうちに(1)、(2)又は(7)から(9)までに規定する者がある場合。

(5) 免許の申請者が(1)、(2)又は(7)から(9)までに規定する者をその申請に係る製造場又は販売場に係る支配人としようとする場合。

(6) 免許の申請者がその申請前2年内において国税又は地方税の滞納処分を受けた者である場合。

(7) 免許の申請者が国税もしくは地方税に関する法令、酒税の保全及び酒類業組合等に関する法律もしくはアルコール事業法の規定により罰金の刑に処せられ、又は国税通則法もしくは関税法等の規定により通告処分を受け、それぞれ、その刑の執行を終わり、もしくは執行を受けることがなくなった日又はその通告の旨を履行した日から3年を経過するまでの者である場合。

(8) 免許の申請者が未成年者飲酒禁止法の規定、風俗営業等の規制及び業務の適正化等に関する法律の規定もしくは暴力団員による不当な行為の防止等に関する法律の規定により、又は刑法に定める一定の罪もしくは暴力行為等処罰に関する法律の罪を犯したことにより、罰金の刑に処せられ、その執行を終わり、又は執行を受けることがなくなった日から3年を経過するまでの者である場合。

(9) 免許の申請者が禁錮以上の刑に処せられ、その執行を終わった日又は執行を受けることがなくなった日から3年を経過するまでの者である場合。

(10) 正当な理由がないのに取締り上不適当と認められる場所に製造場又は販売場を設けようとする場合。

(11) 酒類の製造免許又は酒類の販売業免許の申請者が破産手続開始の決定を受けて復権を得ていない場合その他その経営の基礎が薄弱であると認められる場合。

(12) 酒税の保全上酒類の需給の均衡を維持する必要があるため酒類の製造免許又は酒類の販売業免許を与えることが適当でないと認められる場合。

(13) 酒類の製造免許の申請者が酒類の製造について必要な技術的能力を備えていないと認められる場合又は製造場の設備が不十分と認められる場合。

2．用語の意義　重要度○

(1) 免許の申請者とは、酒類の製造免許、酒母もしくはもろみの製造免許又は酒類の販売業免許の申請者をいう。

(2) 酒類製造者とは、酒類の製造免許を受けた者をいう。

(3) 酒類販売業者とは、酒類の販売業免許を受けた者をいう。

2－5　必要な行為の継続等　〔ランクＢ〕

■趣　旨■　重要度◎

製造免許又は販売業免許の効力が消滅した場合には、直ちに酒類等の製造行為又は酒類の販売行為をすることができなくなるが、それでは製造途中の半製品を全く無駄にするか、又はその価値を著しく減少させることになり、また、残品の整理もできないことになるため、申請があった場合には、必要最小限の範囲内において製造行為又は販売行為を認めるという例外措置を置いている。

１．酒類の製造免許消滅後の必要な行為の継続等（法20①④）　重要度◎

(1) 酒類の製造免許に付された期限が経過した場合、酒類の製造免許が取り消された場合又は酒類製造者の相続人につき酒類の製造免許を受けたものとみなされない場合において、その製造場に半製品又は酒類が現存するときは、税務署長は、その期限を付された製造免許を与えられていた者、その取り消された製造免許を受けていた者又はその相続人の申請により、期間を指定し、その酒類の製造又は販売を継続させることができる。

(2) (1)の場合においては、その酒類の処分又はその製造場からの移出が完了し、及びその酒税が完納されるまでの間は、その者を酒類製造者とみなして、酒税法を適用する。

２．酒母又はもろみの製造免許消滅後の必要な行為の継続等（法20②④）　重要度○

(1) 酒母もしくはもろみの製造免許が取り消された場合又は酒母等の製造者の相続人につき酒母もしくはもろみの製造免許を受けたものとみなされない場合において、その製造場に半製品が現存するときは、税務署長は、その取り消された製造免許を受けていた者又はその相続人の申請により、期間を指定し、その酒母又はもろみの製造を継続させることができる。

(2) (1)の場合においては、その酒母又はもろみの製造及び処分又は移出が完了するまでの間は、その者を酒母等の製造者とみなして、酒税法を適用する。

3．酒類の販売業免許消滅後の必要な行為の継続等

（法20③④）

重要度△

(1) 酒類の販売業免許に付された期限が経過した場合、酒類の販売業免許が取り消された場合又は酒類販売業者の相続人につき酒類の販売業免許を受けたものとみなされない場合において、その期限を付された販売業免許を与えられていた者、その取り消された販売業免許を受けていた者又はその相続人が酒類を所有しているときは、税務署長は、その者の申請により、期間を指定し、その酒類の販売を継続させることができる。

(2) (1)の場合においては、その酒類の販売が完了するまでの間は、その者を酒類販売業者とみなして、酒税法を適用する。

4．用語の意義

重要度○

(1) 酒類製造者とは、酒類の製造免許を受けた者をいう。

(2) 酒母等の製造者とは、酒母又はもろみの製造免許を受けた者をいう。

(3) 酒類販売業者とは、酒類の販売業免許を受けた者をいう。

(MEMO)

テーマ3

免　　　　税

3−1　未納税移出　〔ランクA〕

■趣　旨■　重要度◎

酒類が製造場から移出されるときは、原則として、酒税の納税義務が発生することになるが、一旦製造場から移出された酒類であっても、直ちにそれが消費面に流れず、他の酒類の原料として使用されるような場合がある。このように、まだ消費のための流通過程に入らない段階において酒税を課税することは、消費税本来の建前から好ましくないため、移出時課税の原則に対して例外規定を設け、酒類を法定の手続に従ってその製造場から移出するときは、その移出した酒類に対する酒税を免除することにしている。

1．適用要件　重要度◎

酒類製造者が、次のそれぞれに掲げる酒類をその酒類の製造場から次のそれぞれに掲げる場所（(1)②から⑨までに掲げる酒類の蔵置場については、当該蔵置場の設置につき、その蔵置場の所在地の所轄税務署長の許可を受けた蔵置場に限る。）へ移出する場合には、その移出に係る酒税を免除する。

(1) 事後申告制度によって未納税移出をすることができる場合（法28①、令32、規9）

① 酒類製造者が酒類の原料とするための酒類
……当該酒類をその原料とする酒類の製造場

② 輸出業者が輸出するための酒類……当該酒類の蔵置場

③ 自己の他の酒類の製造場又は蔵置場に移入するための酒類
……当該酒類の製造場又は蔵置場

④ 他の酒類製造者の酒類の製造場又は蔵置場に移入するための酒類のうち次に掲げるもの……当該製造場又は蔵置場

イ 当該他の酒類製造者がその移入をした後その商標を表示して更に移出することが明らかなもの

ロ 当該他の酒類製造者が容器へ詰めることを委託され、その委託をした者の酒類の製造場又は蔵置場へ更に移出することが明らかなもの

ハ　酒類製造者から酒類（当該酒類製造者が製造免許を受けた品目の酒類に限る。）の製造の委託を受けた酒類製造者が、その委託を受けて製造した酒類を容器に詰めるため当該他の酒類製造者の酒類の製造場又は蔵置場（その委託をした者の酒類の製造場又は蔵置場を除く。）へ移入するもので、当該他の酒類製造者がその移入をした後その委託をした者の酒類の製造場又は蔵置場へ更に移出することが明らかなもの

ニ　滞納処分、強制執行、担保権の実行としての競売、企業担保権の実行手続又は破産手続による換価に係る酒類の製造場から移入するその換価に係るもの

⑤　酒類製造者が主となって組織する法人（酒類製造者である法人を除く。）の酒類の蔵置場に移入するための酒類のうち次に掲げるもの……当該蔵置場

イ　その法人を組織する酒類製造者の酒類の製造場又は蔵置場から移入するもの

ロ　イに規定する酒類製造者以外の酒類製造者の酒類の製造場又は蔵置場から移入するもので、その法人がその移入をした後その商標を表示して更に移出することが明らかなもの

ハ　イに規定する酒類製造者以外の酒類製造者の酒類の製造場又は蔵置場から移入するもので、その法人が容器へ詰めることを委託され、その委託をした者の酒類の製造場又は蔵置場へ更に移出することが明らかなもの

⑥　④ロもしくはハ又は⑤ハの委託に基づき容器に詰められた酒類をこれらの委託を受けた者の酒類の製造場又は蔵置場からこれらの委託をした者の酒類の製造場又は蔵置場に移入するためのもの……当該製造場又は蔵置場

⑦　酒類製造者が主となって組織する法人の酒類の蔵置場に⑤イの規定の適用を受けて移入した酒類をその蔵置場からその法人を組織している酒類製造者の酒類の製造場又は蔵置場に移入するためのもの（④に該当するものを除く。）……当該製造場又は蔵置場

⑧　未納税移出の規定の適用を受けて酒類の製造場又は蔵置場から移出した酒類をその製造場又は蔵置場に戻し入れるためのもの

……当該製造場又は蔵置場

⑨　果実酒を集荷して移出する者の蔵置場に移入するための果実酒

……当該蔵置場

(2)　事前承認制度によって未納税移出をすることができる場合（法28①四）

(1)に掲げる酒類以外の酒類で、その酒類を他の製造場又は蔵置場へ移出することにつき、その酒類の製造場の所在地の所轄税務署長の承認を受けたもの

……当該他の製造場又は蔵置場

２．未納税移出をした酒類製造者の手続　重要度◎

(1) 原則手続（法28②）

未納税移出の規定は、移出をした酒類製造者が、その移出をした日の属する月分の納税申告書（期限内申告に限る。）にその酒類が未納税移出酒類に該当すること及びその酒類が所定の移入場所に移入されたことについての明細を記載した書類を添付しない場合には、適用しない。

(2) 延期手続（法28③）

やむを得ない事情があるため(1)に規定する書類を(1)の申告書に添付することができないときは、その書類は、次のそれぞれに掲げる区分に応じ、それぞれに掲げる日までに提出すれば足りるものとする。

① 酒類製造者が、その書類をその申告書の提出期限から３月以内に提出することを予定している場合において、その予定日をその申告書の提出先の税務署長に届け出たとき。……その予定日

② 酒類製造者が、その書類をその申告書の提出期限から３月を経過した日以後に提出することを予定している場合において、その申告書の提出先の税務署長の承認を受けたとき。……その税務署長が指定した日

(3) 亡失手続（法28④）

未納税移出をした酒類を所定の移入場所に移入する前に、災害その他やむを得ない事情により亡失した場合において、その亡失の場所の最寄りの税務署の税務署長に亡失の事実を届け出て、その税務署長から亡失証明書の交付を受けたときは、その証明書は、(1)に規定する書類に代えて用いることができる。

３．未納税移入をした酒類製造者の手続等　重要度◎

(1) 移入者の提出書類（法28⑦）

未納税移出をした酒類を所定の移入場所に移入した者は、その酒類の移入の目的、税率の適用区分及びその区分ごとの数量その他一定の事項を記載した書類を、その場所の所在地の所轄税務署長に、その移入をした日の属する月の翌月末日までに提出しなければならない。

(2) みなし規定（法28⑥）

未納税移出をした酒類については、その酒類を所定の移入場所に移入した者がその酒類の酒類製造者でないときは、これをその酒類の酒類製造者とみなし、その場所がその酒類の製造免許を受けた製造場でないときは、これをその酒類の製造免許を受けた製造場とみなす。

4．未納税移出の手続の特例　重要度◎

(1) 移出者の手続の特例（法28の2①）

未納税移出をした酒類の移入場所が、次のそれぞれに掲げる場所に該当する場合において、未納税移出をした酒類製造者が、その酒類につき、その移出をした日の属する月分の納税申告書（期限内申告に限る。）に未納税移出をした酒類の税率の適用区分及びその区分ごとの課税標準たる数量を記載し、かつ、その酒類が未納税移出酒類に該当すること及びその酒類がその場所に移入されたことについての明細を帳簿により明らかにしているときは、2(1)に規定する書類の添付を要しない。

① 未納税移出酒類の移出をした者と移入をした者が同一である場合におけるその移入をした場所

② ①の規定に該当するもののほか、継続的に未納税移出酒類が移入される場所で、その酒類の移出をする製造場の所在地の所轄税務署長の承認を受けたもの

(2) 移入者の手続の特例（法28の2②）

未納税移出をした酒類の移入場所が、未納税移出をした酒類を継続して移入する場所であり、かつ、その酒類を移入する者が、その場所の所在地の所轄税務署長の承認を受けたときは、3(1)に規定する書類の提出を要しない。

5．用語の意義　重要度○

(1) 酒類製造者とは、酒類の製造免許を受けた者をいう。

(2) 輸出業者とは、他から購入した酒類の販売を業とする者で常時酒類の輸出を行うものをいう。

3−2　未納税引取　〔ランクA〕

■趣　旨■　重要度◎

酒類が保税地域から引き取られるときは、原則として、酒税の納税義務が発生することになるが、一旦保税地域から引き取られた酒類であっても、直ちにそれが消費面に流れず、他の酒類の原料として使用されるような場合がある。このように、まだ消費のための流通過程に入らない段階において酒税を課税することは、消費税本来の建前から好ましくないため、引取時課税の原則に対して例外規定を設け、酒類を法定の手続に従って保税地域から引き取るときは、その引き取った酒類に対する酒税を免除することにしている。

1．適用要件（法28の3①、令35②、規9の2）　重要度◎

酒類製造者が、次のそれぞれに掲げる酒類を保税地域から次のそれぞれに掲げる場所に引き取ろうとする場合において、納税地の所轄税関長の承認を受けたときは、その引取りに係る酒税を免除する。

(1) 酒類製造者が酒類の原料とするための酒類
……当該酒類をその原料とする酒類の製造場

(2) 酒類製造者がその酒類の製造場へ引き取るための酒類（当該酒類製造者が製造した酒類で輸出されたものをその輸出の日から1年以内に引き取るためのものに限る。）
……当該酒類の製造場

(3) 酒類製造者が自己の酒類の製造場へ引き取るための酒類（当該酒類製造者が製造した酒類と混和して更に移出することが明らかなものに限る。）
……当該酒類の製造場

(4) 酒類製造者が自己の酒類の製造場又は蔵置場へ引き取るための酒類（当該酒類製造者が当該酒類の製造場又は蔵置場で容器に詰めて更に移出することが明らかなものに限る。）……当該酒類の製造場又は蔵置場

２．手続等

重要度◎

(1) **原則手続**（法28の３②⑥）

税関長は、未納税引取の承認を与える場合には、その承認の申請者に対し、相当の期限を指定して、その酒類が所定の引取場所に引き取られたことについてのその場所の所在地の所轄税務署長の証明書を提出すべきことを命じなければならない。

なお、未納税引取の承認を受けて引き取った酒類について、税関長の指定した期限内にその証明書の提出がないときは、直ちにその酒税を徴収する。

(2) **亡失手続**（法28の３⑦）

未納税引取の承認を受けて引き取った酒類を所定の引取場所に移入する前に、災害その他やむを得ない事情により亡失した場合において、その亡失の場所の最寄りの税務署の税務署長に亡失の事実を届け出て、その税務署長から亡失証明書の交付を受けたときは、その証明書は、(1)に規定する証明書に代えて用いることができる。

(3) **みなし規定**（法28の３④）

未納税引取をした酒類については、その酒類を所定の引取場所に引き取った者がその酒類の酒類製造者でないときは、これをその酒類の酒類製造者とみなし、その場所がその酒類の製造免許を受けた製造場でないときは、これをその酒類の製造免許を受けた製造場とみなす。

３．用語の意義

重要度○

酒類製造者とは、酒類の製造免許を受けた者をいう。

3−3　輸　出　免　税　〔ランクＡ〕

■趣　旨■　重要度◎

酒税法の規定は、元来、日本国内において消費される酒類について酒税を課するため設けられている。したがって、酒類が日本国外で消費されるために輸出される場合については、その課税上の取扱いをどうするかという問題が生ずる。これは、仮に、輸出される酒類の酒税を免除しないとすれば、外国に輸出される酒類の酒税額は、輸出酒類の価格の一部を構成することになることから、酒税の金額に応じて輸出価格が高くなり、それだけ輸出が不利になることになる。そこで、国際間の重複課税を回避し、貿易の促進を図る見地から、外国に輸出される酒類に対しては、酒税を免除することにしている。

１．適用要件（法29①）　重要度◎

酒類製造者が、輸出する目的で、酒類をその製造場から移出する場合には、その移出に係る酒税を免除する。

２．手　続（法29②、令36）　重要度◎

輸出免税の規定は、移出をした酒類製造者が、その酒類につきその移出をした日の属する月分の納税申告書（期限内申告に限る。）にその酒類の税率の適用区分及びその区分ごとの課税標準たる数量を記載し、かつ、その酒類の輸出に関する明細を帳簿に記載する方法により明らかにしている場合に限り、適用する。

上記の酒類製造者は、その酒類につき、次に掲げる区分に応じ、それぞれに定める方法によりその明細を明らかにしなければならない。

(1)　(2)以外

輸出許可証等に基づいて、次に掲げる事項を帳簿に記載する方法

①　その酒類の税率の適用区分及びその区分ごとの数量

②　輸出の年月日及び仕向地

③　輸出港の所轄税関

④　その酒類の輸出をした者がその酒類の酒類製造者以外の者であるときは、その輸出をした者の住所及び氏名又は名称

⑤　その他参考となるべき事項

(2) その酒類を輸出する前に災害その他やむを得ない事情により亡失した場合
　その亡失の場所の最寄りの税務署又は税関の税務署長又は税関長から交付を受けた亡失証明書に基づいて、次に掲げる事項を帳簿に記載する方法
① 亡失の年月日、時刻、場所及び原因
② 亡失した酒類の税率の適用区分、その区分ごとの数量、移出をした年月日、移出先並びに移出をした製造場の所在地及び名称
③ その他参考となるべき事項

３．用語の意義

重要度○

酒類製造者とは、酒類の製造免許を受けた者をいう。

3－4　外航船等に積み込む酒類の免税等　〔ランクC〕

■趣　旨■　重要度○

外航船等に積み込む酒類については、外国に輸出される酒類そのものではないが、日本国内において消費されるものではないため、外航船等への積込みを輸出等とみなして、酒税法等を適用することにしている。

1．外航船等に積み込む酒類の免税　重要度○

(1) 適用要件（措法87の5①）

酒類製造者又は酒類を保税地域から引き取る者が、外航船等に船用品又は機用品として積み込むため、その積み込もうとする港の所在地の所轄税関長の承認を受けた酒類を、酒類の製造場から移出し、又は保税地域から引き取る場合には、その外航船等への積込みを輸出又は外国の船舶もしくは航空機への積込みとみなして、酒税法及び輸入品に対する内国消費税の徴収等に関する法律を適用し、それぞれ酒税が免除されることになる。

(2) 手続等（措令45の2①～④）

① (1)の承認を受けようとする者は、所定の事項を記載した申請書を税関長に提出しなければならない。

② 税関長は、(1)の承認の申請があった場合において、その申請に係る酒類が、その酒類を積み込もうとする外航船等の航海又は航行の日数並びに旅客及び乗組員の数その他の事情を勘案して相当と認められる数量の範囲内であり、かつ、酒税の取締り上支障がないと認めたときは、その承認をするものとする。

③ 税関長は、(1)の承認をする場合には、相当と認められる積込みの期間を指定しなければならない。この場合において、その指定後災害その他やむを得ない理由により必要があると認めるときは、その税関長は、その指定した期間を延長することができる。

④ 税関長は、(1)の承認をする場合において、必要があると認めるときは、その承認の申請者に対し、その承認に係る酒類である旨をその酒類の容器又は包装に表示することを命ずることができる。

2．外航船等に積み込まれた酒類が国内に陸揚げ等された場合（措法87の5②）

重要度△

外航船等に積み込まれた酒類が、最初に次のそれぞれに掲げる場合に該当することとなった場合には、その酒類の所持者が関税法に規定する賦課課税方式が適用される酒類を保税地域から引き取るものとみなして、酒税法を適用する。

この場合において、その酒類に係る酒税の納税地は、その酒類がそのそれぞれに掲げる場合に該当することとなった場所の所在地とする。

(1) 本邦において陸揚げ又は取卸し（積換えを含む。）がされる場合

(2) その外航船等が外航船等でなくなる時にその外航船等に現存する場合

3．用語の意義

重要度○

(1) 酒類製造者とは、酒類の製造免許を受けた者をいう。

(2) 外航船等とは、本邦と外国との間を往来する本邦の船舶又は航空機をいう。

3－5　輸出酒類販売場から移出する酒類に係る酒税の免税〔ランクB〕

■趣　旨■　重要度◎

地方創生の促進及び日本産酒類の認知度向上を通じた輸出促進を図るため、酒類製造者が輸出酒類販売場の許可を受けた酒類の製造場において訪日外国人旅行者等の免税購入対象者に対して販売した酒類に係る酒税については、一定の手続の下に免除することにしている。

1．適用要件（措法87の6①、措令46の8の2①）　重要度◎

輸出酒類販売場を経営する酒類製造者が、免税購入対象者に対し、免税酒類で輸出するため一定の方法により購入されるものを販売するため、その酒類をその輸出酒類販売場から移出する場合には、その移出に係る酒税を免除する。

なお、免税酒類とは、次に掲げる要件を全て満たす酒類とする。

①　当該酒類製造者が製造免許を受けた酒類と同一の品目の酒類であること。

②　当該酒類製造者が製造した酒類であること。

③　当該販売につき消費税法第8条の規定（輸出物品販売場における輸出物品の譲渡に係る免税）の適用を受ける酒類であること。

2．手続等（措法87の6②③④⑤）　重要度◎

(1) 手　続

上記1の規定は、移出をした輸出酒類販売場を経営する酒類製造者が、その酒類が免税購入対象者によって一定の方法により購入されたことを証する書類もしくは電磁的記録を保存せず、又はその酒類につきその移出をした日の属する月分の納税申告書（期限内申告に限る。）にその酒類の税率の適用区分及びその区分ごとの課税標準たる数量の記載がない場合には、適用しない。

ただし、既に(2)本文の規定等の適用があった場合又は災害その他やむを得ない事情によりその酒類が免税購入対象者によって一定の方法により購入されたことを証する書類もしくは電磁的記録を保存することができなかったことをその酒類製造者が証明した場合は、この限りでない。

(2) 即時徴収

輸出酒類販売場において免税酒類を一定の方法により購入した免税購入対象者が、本邦から出国する日までにその酒類を輸出しないときは、その出港地を所轄する税関長は、その者がその酒類を災害その他やむを得ない事情により亡失したため輸出しないことにつきその税関長の承認を受けた場合を除き、その者からその酒類の移出についての免除に係る酒税額に相当する酒税を直ちに徴収する。

ただし、既に(1)本文に規定する場合に該当する事実が生じている場合等は、この限りでない。

(3) 譲渡等の禁止等

① 免税酒類で免税購入対象者が輸出酒類販売場において一定の方法により購入したものは、国内において譲渡等をしてはならない。

ただし、その酒類の譲渡等をすることにつきやむを得ない事情がある場合において、その酒類の所在場所を所轄する税務署長の承認を受けたときは、この限りでない。

② 国内において①に規定する酒類の譲渡等がされたときは、税務署長は、やむを得ない事情により承認を受けた者があるときはその者から、その承認を受けずに譲渡等がされたときはその酒類を譲り渡した者から、その酒類の移出についての免除に係る酒税額に相当する酒税を直ちに徴収する。

ただし、既に(1)本文に規定する場合に該当する事実が生じている場合等は、この限りでない。

3．用語の意義（措法87の6⑦）

重要度◎

(1) 酒類製造者とは、酒類の製造免許を受けた者をいう。

(2) 輸出酒類販売場とは、輸出酒類販売場を経営することについて特に不適当と認められる事情がない酒類製造者の経営する酒類の製造場のうち、消費税法に規定する輸出物品販売場である酒類の製造場であって、免税購入対象者に対し免税酒類で一定の方法により購入されるものを販売することができるものとして、その酒類の製造場の所在地の所轄税務署長の許可を受けた販売場をいう。

(MEMO)

テーマ4

税額控除

4－1　酒税額の控除等　〔ランクＡ〕

■趣　旨■　重要度◎

製造場から移出され、酒税が課された酒類を品質が低下した等の理由で移出した製造場へ戻し入れた場合には、最初から移出がなかった状態に戻ることになるため、当初課された酒税額を控除することにより、課税原因を消滅させることにしている。また、課税済の酒類が製造場に移入され、その製造場から再び移出された場合又は酒類の原料として使用された場合には、再度酒税が課されることになるため、当初課された酒税額を控除することにより、重複課税を調整している。

1．戻入れ控除　重要度◎

(1)　本来の戻入れ控除（法30①）

酒類製造者がその製造場から移出した酒類をその製造場に戻し入れた場合には、その者がその戻入れの日の属する月（その戻入れの日とその移出の日とが同一の月に属する場合には、その月の翌月）以後に提出期限の到来する納税申告書（期限内申告に限る。）に記載した酒税額の合計額からその酒類につきその移出により納付された、又は納付されるべき酒税額に相当する金額を控除する。

(2)　みなし規定による戻入れ控除（法30②）

酒類製造者がその製造場から移出した酒類をその者の他の酒類の製造場に移入した場合には、その移入した製造場をその酒類の移出に係る製造場と、その移入を戻入れと、それぞれみなして、(1)の規定を適用する。

2．再移出控除及び原料使用控除（法30③）　重要度◎

酒類製造者が他の酒類の製造場から移出され、又は保税地域から引き取られた酒類を酒類の製造場に移入した場合（戻入れ控除の規定により控除を受けるべき場合を除く。）において、その酒類をその移入した製造場から更に移出したとき、又はその酒類を税務署長に申告した製造方法に従い酒類の原料として使用したときは、その者がその移出の日又はその使用の日の属する月の翌月以後に提出期限の到来する納税申告書（期限内申告に限る。）に記載された酒税額の合計額からその酒類につき当該他の製造場からの移出により納付された、もしくは納付されるべき又は保税地域からの引取りにより納付された、もしくは納付されるべきもしくは徴収された、もしくは徴収されるべき酒税額に相当する金額を控除する。

３．酒税額の還付（法30④）

重要度◎

上記の場合において、控除を受けるべき月の納税申告書に酒税額の控除不足額の記載があるとき、又は還付申告書の提出があったときは、それぞれ、その不足額又はその申告書に記載された還付を受ける金額に相当する金額を還付する。

４．酒類を廃棄した場合の戻入れ控除（法30⑤）

重要度◎

酒類製造者が、その製造場から移出した酒類を、その製造の廃止後（必要な行為の継続の規定の適用により、酒類製造者とみなされる期間が経過した後に限る。）その製造場であった場所に戻し入れた場合において、その製造場であった場所の所在地の所轄税務署長の承認を受けてその酒類を廃棄したときは、本来の戻入れ控除又は酒税額の還付の規定に準じてその移出により納付された、又は納付されるべき酒税額に相当する金額を控除し、又は還付する。

５．手　続（法30⑥）

重要度◎

上記の規定による控除又は還付を受けようとする者は、その控除又は還付に係る納税申告書又は還付申告書にその控除又は還付を受けようとする酒税額に相当する金額の計算に関する書類を添付しなければならない。

６．相続等又は合併の場合の戻入れ控除（法30⑦⑧）

重要度◎

相続又は事業譲渡（酒類の製造免許に係る製造業の全部の譲渡をいう。）により酒類の製造場における酒類の製造業を承継した相続人等（相続人又は譲受者をいう。）がある場合において、その相続人等が、その相続又は事業譲渡に係る被相続人又は譲渡者がその製造場において製造した酒類でその製造場から移出したものを、その製造場に戻し入れたとき、又はその相続人等の他の酒類の製造場に移入したときは、その者をその移出をした者とみなして、本来の戻入れ控除又はみなし規定による戻入れ控除の規定を適用し、その移出により納付された、又は納付されるべき酒税額に相当する金額を控除する。

なお、この規定は、合併により酒類の製造場における酒類の製造業を承継した法人がある場合について準用する。

７．用語の意義

重要度○

酒類製造者とは、酒類の製造免許を受けた者をいう。

4－2　被災酒類の酒税額の控除等　〔ランクＢ〕

■趣　旨■　重要度○

酒税は、酒類の消費者に担税力を求めて課税する消費税であるが、製造場から移出した酒類が流通過程にある段階で災害により亡失等した場合には、その酒税は消費者に転嫁される機会を失い、酒類製造者又は酒類の販売業者の負担となるため、消費税の本旨に反することとなる。また、酒類の販売業者が被災することにより、酒類製造者に対する代金の支払いが行われないことになり、酒類製造者に対し不当な負担をかけ、酒税の滞納発生の原因ともなるため、被災酒類に課せられている酒税を控除又は還付することにより、実質的に免除することとしている。

１．適用要件（災免法７、８）　重要度○

(1) 酒類製造者又は酒類の販売業者が販売のために所持する酒類で酒税を課せられたものが災害により亡失し、滅失し、又はその本来の用途に供することができない状態になった場合においては、被災酒類について課せられた酒税額に相当する金額（被災酒類についてその酒類製造者又は酒類の販売業者が保険金等により損失を補てんされたときは、一定の金額を控除した金額）をその被災酒類に係る酒税の納税義務者がその災害にあった日以後において納付すべき酒税額から控除する。

ただし、その納税義務者がその酒類製造者又は酒類の販売業者である場合を除き、その控除すべき金額は、その酒類製造者又は酒類の販売業者がその納税義務者の負担によりその被災酒類について損失の補償を受けた金額を限度とする。

(2) (1)の規定は、被災酒類について酒税法に規定する戻入れ控除の規定の適用がある場合においては、これを適用しない。

(3) (1)の場合において、製造の廃止その他の事由により、(1)に規定する納税義務者がその災害のあった日以後において納付すべき酒税額がその税額から控除すべき金額に満たないこととなったときは、その満たない金額をその者に還付する。

(4)　(1)本文に規定する場合において、その災害について国税通則法の規定による申告期限等を延長する地域の指定があり、かつ、国税庁長官が当該地域に所在する酒類（一定の酒類を除く。以下「特定被災酒類」という。）に係る酒税の納税義務者に代わる酒類製造者を指定したときは、当該指定された酒類製造者（以下「指定酒類製造者」という。）を特定被災酒類に係る酒税の納税義務者とみなして、上記の規定を適用する。

２．手　続（災免令13、15の２）　重要度△

(1)　上記の規定により、控除又は還付を受けようとする被災酒類に係る酒税の納税義務者は、災害のやんだ日から４月を経過した日の前日の属する月の末日までに、納税申告書（期限内申告に限る。）又は還付申告書に、その控除又は還付を受けるべき金額の計算に関する明細書及びその被災酒類が災害により亡失し、滅失し、又はその本来の用途に供することができない状態になった事実についての確認書を添付しなければならない。

(2)　上記の規定による控除又は還付を受けようとする場合において、その被災酒類が保税地域から引き取られたものであるときは、その被災酒類に係る酒税の納税義務者は、その控除又は還付を受ける金額その他の事項を記載した申請書に(1)の明細書及び確認書を添付して、災害のやんだ日から４月を経過した日の前日の属する月の末日までに、これを納税地の所轄税関長に提出しなければならない。

(3)　(1)又は(2)の場合において、被災酒類が亡失し、滅失し、又はその本来の用途に供することができない状態になった時にその被災酒類を所持していた酒類製造者又は酒類の販売業者がその被災酒類に係る酒税の納税義務者以外の者であるときは、その酒類製造者又は酒類の販売業者がその納税義務者の負担によりその被災酒類について損失の補償を受けた事実を証する書類をあわせて添付しなければならない。

(4)　上記１(4)が適用される場合における指定酒類製造者については、酒類の製造場から移出した上記１(4)に規定する特定被災酒類に係る酒税の納税義務者とみなして、上記(1)及び(3)の規定を適用する。

３．用語の意義　重要度△

(1)　酒類製造者とは、酒類の製造免許を受けた者をいう。

(2)　被災酒類とは、災害により亡失し、滅失し、又はその本来の用途に供することができない状態になった酒類をいう。

(MEMO)

テーマ5

申告及び納付等

5－1　移出酒類についての申告及び納付等〔ランクＡ〕

１．概　要　　重要度△

既に納税義務が成立した国税について、納付すべき税額の具体的な確定手続としては、申告納税方式か賦課課税方式かのいずれかによることになっている。酒税法においては、原則として納税者自身が納付すべき税額を確定する申告納税方式を採用し、酒類が製造場から移出された場合には月例申告の規定を、酒税の保全上好ましくない事由が生じた場合には、酒税の確保を早急に図る見地から都度申告の規定を、また、月例申告を要しない月に税額控除の規定による還付を受ける場合には還付申告の規定をそれぞれ置き、例外的に酒類等を無免許で製造した場合等においては、賦課課税方式を採用している。

２．月例申告　　重要度◎

(1) 申　告（法30の２①）

酒類製造者は、その製造場ごとに、毎月（その製造場からの移出がない月を除く。)、次に掲げる事項を記載した申告書を、翌月末日までに、その製造場の所在地の所轄税務署長に提出しなければならない。

① 税率の適用区分及びその区分ごとの課税標準たる数量
② 免税の規定の適用を受けようとする数量
③ 課税標準数量
④ 酒税額及びその酒税額の合計額
⑤ 控除税額
⑥ 差引納付税額
⑦ 控除不足額
⑧ その他一定の事項

(2) 納　付（法30の４①）

(1)の規定による申告書を提出した酒類製造者は、その申告に係る酒類をその酒類製造者の製造場から移出した日の属する月の末日から２月以内に、その申告書に記載した酒税額に相当する酒税を国に納付しなければならない。

３．都度申告

重要度◎

(1) 申　告（法30の２②）

酒類製造者（酒母又はもろみの製造者でその他の醸造酒の製造者とみなされた者を含む。）は、次のいずれかに該当するときは、既にその製造場から移出した酒類（既に月例申告の規定により申告をした酒類を除き、①から③の場合においては、移出したものとみなされた酒類等を含む。）について２(1)に掲げる事項を記載した申告書を、その該当することとなった日から10日を経過する日までに、その製造場の所在地の所轄税務署長に提出しなければならない。

①　酒母又はもろみの製造場（酒類の製造免許を受けた製造場を除く。）において酒母又はもろみが飲用された場合において、その飲用につき、その製造者の責めに帰することができるとき。

②　酒類の製造免許に付された期限が経過した場合もしくは酒類等の製造免許が取り消された場合又は酒類等の製造者の相続人につき酒類等の製造免許を受けたものとみなされない場合において、その取り消された又は消滅した製造免許に係る酒類等がその製造場に現存するとき。

　ただし、その期限の経過又は申請に基づく製造免許の取消しと同時に必要な行為の継続の規定による酒類の販売の継続を認められた場合を除く。

③　酒類等の製造免許を強制的に取り消された者が必要な行為の継続の規定の適用を受けて酒類等を製成したとき。

④　担保の提供又は酒類の保存を命ぜられた場合において、指定された期限までに担保の提供又は酒類の保存をしないとき。

(2) 納　付（法30の４①）

(1)の規定による申告書を提出した酒類製造者は、その申告書の提出期限内に、その申告書に記載した酒税額に相当する酒税を国に納付しなければならない。

４．還付申告（法30の２③）

重要度○

製造場から移出した酒類をその製造場に戻入れをした酒類製造者もしくはその製造の廃止後（必要な行為の継続の規定の適用により、酒類製造者とみなされる期間が経過した後に限る。）その製造場であった場所に戻入れをした者又は他の酒類の製造場から移出され、もしくは保税地域から引き取られた酒類を酒類の製造場に移入をした酒類製造者は、酒税額の控除を受けるべき月において月例申告の規定による申告書の提出を要しないときは、酒税額の控除の規定により控除又は還付を受けるべき金額に相当する金額の還付を受けるため、その還付を受ける金額その他の事項を記載した申告書をその戻入れ又は移入をした場所の所在地の所轄税務署長に提出することができる。

５．納税地（法53）

重要度○

酒税の納税地は、製造場から移出した酒類に係るものについては、その製造場の所在地とする。

６．徴　収（法30の４②）

重要度○

酒類等が酒類等の製造者の製造場において飲用された場合において、その飲用につき、その製造者の責めに帰することができないとき、又は酒類等が酒類等の製造者の製造場から移出された場合において、その移出につき、その製造者の責めに帰することができないときにおける酒類に係る酒税は、これらの酒類の製造場の所在地の所轄税務署長が、直ちにその酒税を徴収する。

７．用語の意義

重要度○

(1) 酒類製造者とは、酒類の製造免許を受けた者をいう。

(2) 酒類等とは、酒類又は酒母もしくはもろみをいう。

郵便はがき

料金受取人払郵便

神田局
承認

5767

差出有効期間
2026年7月31
日まで

切手不要

101-8739

1 0 8

東京都千代田区神田三崎町3-2-18

資格の学校TAC

カスタマーセンター

資料請求係 行

このハガキで「最新資料」の資料請求ができます

住　所	□□□-□□□□　　都道府県		
名　前	フリガナ	電話番号 (　　　)	
E-mail	@ ※メールで資格や講座に関する情報を希望される方はご記入ください。	性　別 男・女	生年月日(西暦) 年　月　日
職　業	19.会社員　50.学生　90.その他(　　　)		
ご希望の項目に✓印をご記入ください。	□ TAC税理士講座案内 資料請求		
現在の学習状況について該当する項目に✓印をご記入ください。	□ TACで学習している □ 独学で学習している □ 他のスクールで学習している		

※必要事項を記入のうえ、ご投函ください。

2025年版 TAC出版

(MEMO)

5－2　引取酒類についての申告及び納付等〔ランクA〕

1．概　要　　重要度△

既に納税義務が成立した国税について、納付すべき税額の具体的な確定手続としては、申告納税方式か賦課課税方式かのいずれかによることになっているが、酒税法において、引取りに係る酒類については、関税法の規定に従って、申告納税方式と賦課課税方式の双方が採用されている。

2．申告納税方式　　重要度◎

(1) 申　告（法30の３①③）

① 関税法に規定する申告納税方式が適用される酒類を保税地域から引き取ろうとする者は、その引取りに係る酒税を免除されるべき場合を除き、次に掲げる事項を記載した申告書を税関長に提出しなければならない。

イ　課税標準数量

ロ　酒税額及びその酒税額の合計額

ハ　控除税額

ニ　差引納付税額

ホ　控除不足額

ヘ　その他一定の事項

② ①に規定する者がその引取りに係る酒類につき関税法に規定する特例申告を行う場合には、その酒類に係る①の申告書の提出期限は、その酒類の引取りの日の属する月の翌月末日とする。

(2) 納　付（法30の５①）

(1)の規定による申告書を提出した者は、その申告に係る酒類を保税地域から引き取る時（関税法に規定する特例申告を行う場合にあっては、その申告書の提出期限）までに、その申告書に記載した酒税額に相当する酒税を国に納付しなければならない。

３．賦課課税方式　　重要度○

(1) 申　告（法30の３②）

関税法に規定する賦課課税方式が適用される酒類を保税地域から引き取ろうとする者は、その引取りに係る酒税を免除されるべき場合を除き、その引き取る酒類に係る課税標準数量その他一定の事項を記載した申告書を税関長に提出しなければならない。

(2) 徴　収（法30の５②）

保税地域から引き取られる(1)に規定する酒類に係る酒税は、(1)の税関長がその引取りの際徴収する。

４．納税地（法53）　　重要度○

酒税の納税地は、保税地域から引き取られる酒類に係るものについては、その保税地域とする。

5−3　納期限の延長　〔ランクB〕

■趣　旨■　重要度◎

移出酒類について、月例申告書を提出した酒類製造者は、その申告に係る酒類をその酒類製造者の製造場から移出した日の属する月の末日から２月以内に、都度申告書を提出した酒類製造者は、その申告書の提出期限内に、それぞれ申告書に記載した酒税額に相当する酒税を国に納付しなければならない。

また、引取酒類について、関税法に規定する申告納税方式が適用される酒類を保税地域から引き取ろうとする者で申告書を提出したものは、その申告に係る酒類を保税地域から引き取る時（関税法の規定により特例申告を行う場合には、その引取りの日の属する月の翌月末日）までに、その申告書に記載した酒税額に相当する酒税を国に納付しなければならない。

しかし、実際に酒類の販売代金が回収されるまでの間、酒類製造者又は酒類引取者は、酒税の立替納付をせざるを得なくなる。そこで納税義務者である酒類製造者又は酒類引取者の資金繰りを楽にするとともに酒税の立替納付についての救済を図る見地から、一定の要件のもとに納期限の延長を認めている。

１．内　容　重要度◎

(1) 移出酒類（法30の６①）

酒類製造者が、納税申告書をその提出期限内に提出した場合において、その納期限内に納期限の延長についての申請書をその申告書の提出先の税務署長に提出し、かつ、その申告書に記載した酒税額の全部又は一部に相当する担保を提供したときは、その税務署長は、その酒類製造者が酒類の販売代金の回収に相当期間を要することその他これに類する事由によりその担保の額に相当する酒税をその納期限内に納付することが著しく困難であると認められる場合に限り、１月以内、その担保の額に相当する酒税の納期限を延長することができる。

(2) 引取酒類

① 特例申告者以外の者（法30の６②）

酒類を保税地域から引き取ろうとする者（特例申告者を除く。）が、関税法に規定する申告納税方式適用酒類に係る申告書を提出した場合において、納期限の延長についての申請書を税関長に提出し、かつ、その申告書に記載した酒税額の全部又は一部に相当する担保をその税関長に提供したときは、その税関長は、１月以内（酒類の販売代金の回収に相当期間を要することその他これに類する事由によりその担保の額に相当する酒税を１月以内に納付することが著しく困難であると認められる場合にあっては、２月以内）、その担保の額に相当する酒税の納期限を延長することができる。

② 特例輸入者（法30の６③）

酒類を保税地域から引き取ろうとする者（関税法に規定する特例輸入者に限る。）が、関税法に規定する申告納税方式適用酒類に係る申告書をその提出期限内に提出した場合において、その納期限内に納期限の延長についての申請書を税関長に提出したときは、その税関長は、その引き取ろうとする者が酒類の販売代金の回収に相当期間を要することその他これに類する事由によりその申告書に記載した酒税額の全部又は一部に相当する酒税をその納期限内に納付することが著しく困難であると認められる場合に限り、１月以内、その酒税額の全部又は一部に相当する酒税の納期限を延長することができる。この場合において、その税関長は、酒税の保全のため必要があると認めるときは、一定の方法により、その特例輸入者に対し、その酒税額の全部又は一部に相当する担保の提供を命ずることができる。

③ 特例委託輸入者（法30の６④）

酒類を保税地域から引き取ろうとする者（関税法に規定する特例委託輸入者に限る。）が、関税法に規定する申告納税方式適用酒類に係る申告書をその提出期限内に提出した場合において、その納期限内に納期限の延長についての申請書を税関長に提出し、かつ、その申告書に記載した酒税額の全部又は一部に相当する担保をその税関長に提供したときは、その税関長は、その引き取ろうとする者が酒類の販売代金の回収に相当期間を要することその他これに類する事由によりその担保の額に相当する酒税をその納期限内に納付することが著しく困難であると認められる場合に限り、１月以内、その担保の額に相当する酒税の納期限を延長することができる。

２．用語の意義

重要度○

(1) 酒類製造者とは、酒類の製造免許を受けた者をいう。

(2) 特例申告者とは、保税地域からの引取りに係る酒類につき関税法に規定する特例申告を行う者をいう。

テーマ6

その他

6−1　みなし製造　〔ランクＡ〕

■趣　旨■　重要度◎

酒税法では、酒類を17品目に区分して、その製法や性状等により大きく４種類に分類し、原則としてその分類によって税率を定め、各酒類の担税力に応じた従量税率を適用している。また、一旦製造された酒類に他の物品を混和した場合において、その混和後のものが酒類であるときは、次に掲げる理由から、一定の場合を除き、新たに酒類を製造したものとみなして、酒税法を適用することにしている。

(1) 低率の酒税が課された酒類に他の物品を混和して、高率の酒税が課されている酒類を製造することができることになり、酒税負担の均衡を失するばかりでなく、酒税収入の減少をきたすことになる。

(2) 酒類の製造免許を付与する場合には、酒類の品目ごとにその需給事情等をも考慮しながら付与することになっているが、これが無意味になり、酒税法の趣旨に反することになる。

(3) 製造後の酒類に他の物品を混和することを自由に認めてしまうと、厳格に規定している酒類の定義が無意味になる。

1．みなし製造の原則（法43①）　重要度◎

酒類に水以外の物品（その酒類と同一の品目の酒類を除く。）を混和した場合において、混和後のものが酒類であるときは、新たに酒類を製造したものとみなす。

2．新たに酒類を製造したものとみなされない場合（法43①③④、令50①～④⑥、解通43①関係４、規13⑧）　重要度△

(1) 次に掲げる場合については、新たに酒類を製造したものとみなされない。

① 清酒の製造免許を受けた者が、清酒にアルコール又は焼酎を加えた場合において、一定の要件を満たすとき。

なお、その混和後の酒類は、清酒とみなす。

② 清酒又は合成清酒の製造免許を受けた者が、その製造場において清酒と合成清酒とを混和したとき。

なお、その混和後の酒類は、清酒と合成清酒との混和酒となる。

③　連続式蒸留焼酎と単式蒸留焼酎との混和をしたとき。

なお、その混和後の酒類は、連続式蒸留焼酎と単式蒸留焼酎の混和酒となる。

④　ウイスキーとブランデーとの混和をしたとき。

なお、その混和後の酒類は、ウイスキーとブランデーとの混和酒となる。

⑤　酒類製造者が、その製造免許を受けた品目の酒類（清酒、合成清酒、砂糖等を加えた焼酎、みりんに限る。）と糖類その他の一定の物品との混和をしたとき（①から④までに該当する場合を除く。）。

なお、その混和後の酒類は、その混和前の品目の酒類とみなす。

⑥　所轄税務署長の承認を受け、酒類の保存のため、酒類にアルコール又は焼酎を混和したとき（①から⑤までに該当する場合を除く。）。

なお、その混和後の酒類は、その混和前の品目の酒類とみなす。

(2) 酒類の保存のため、次のそれぞれに掲げる品目の酒類にそれぞれに定める物品を混和したときは、それぞれ新たに酒類を製造したものとみなさないものとし、その混和後の酒類の品目は、その混和前の酒類の品目とみなす。

①　清　酒……乳酸、こはく酸又はりんご酸

②　果実酒又は甘味果実酒……酒石酸又はメタ重亜硫酸カリウム

③　国税庁長官が指定する品目の酒類……国税庁長官が指定する物品

３．新たに酒類を製造したものとみなす場合

（法43⑤⑥⑧、令50⑧～⑫、規13④～⑦）

重要度△

(1) １の規定にかかわらず、酒類の製造場以外の場所で酒類と水との混和をしたとき（一定の場合を除く。）は、新たに酒類を製造したものとみなす。

この場合において、その混和後の酒類の品目は、酒税法で別に定める場合を除き、その混和前の酒類の品目とする。

(2) リキュールと水又は炭酸水との混和をしてエキス分２度未満の酒類としたときは、新たにスピリッツを製造したものとみなす。

(3) 連続式蒸留スピリッツと連続式蒸留焼酎との混和をして、アルコール分が36度未満の酒類としたときは、新たに連続式蒸留焼酎を製造したものとみなす。

(4) 合成清酒と水又は炭酸水との混和をして、エキス分２度以上５度未満の酒類としたときはリキュールを、エキス分２度未満の酒類としたときはスピリッツを、新たに製造したものとみなす。

(5) みりんと水又は炭酸水との混和をして、エキス分２度以上40度未満の酒類としたときはリキュールを、エキス分２度未満の酒類としたときはスピリッツを、新たに製造したものとみなす。

(6) その他の醸造酒と水又は炭酸水との混和をしてエキス分２度未満の酒類としたときは、新たにスピリッツを製造したものとみなす。

(7) 粉末酒と水又は炭酸水との混和をしてその粉末酒を溶解し、エキス分２度以上の酒類としたときはリキュールを、エキス分２度未満の酒類としたときはスピリッツを、新たに製造したものとみなす。

(8) 連続式蒸留アルコールと炭酸ガスもしくは炭酸水又はこれらと水もしくは連続式蒸留焼酎（砂糖等を加えた連続式蒸留焼酎に該当するものを除く。）との混和をしたときは、その混和後のアルコール分に応じ、次のそれぞれに掲げる酒類を新たに製造したものとみなす。

① アルコール分が45度を超えるもの……原料用アルコール

② アルコール分が45度以下36度以上のもの……スピリッツ

③ アルコール分が36度未満のもの……連続式蒸留焼酎

(9) 単式蒸留アルコールと炭酸ガスもしくは炭酸水又はこれらと水もしくは単式蒸留焼酎（砂糖等を加えた単式蒸留焼酎に該当するものを除く。）との混和をしたときは、その混和後のアルコール分に応じ、次のそれぞれに掲げる酒類を新たに製造したものとみなす。

① アルコール分が45度を超えるもの……原料用アルコール

② アルコール分が45度以下のもの……単式蒸留焼酎

(10)　アルコール分が15度以上20度未満であることにより果実酒から除かれた甘味果実酒と水又は炭酸水との混和をしてアルコール分が15度未満の酒類としたときは、新たに果実酒を製造したものとみなす。

(11)　砂糖等を加えた焼酎と原料用アルコール、スピリッツ、焼酎又は水との混和をしたもので焼酎に該当するものを、酒類の製造場で木製の容器に貯蔵した場合において、その酒類が木製の容器に通算して１年以上貯蔵した酒類を含むものとなるときは、その酒類の品目は、スピリッツとみなす。

４．酒場、料理店等及び消費者に対するみなし製造の規定の適用除外

重要度◎

(1) **趣　旨**

本来酒類の製造免許を有していない者が製造後の酒類に他の物品を混和することは禁止されているが、消費の直前に混和する場合や自家用梅酒等を製造する場合には、社会常識上、新たな酒類の製造としてこれを禁止することは適当でなく、かつ、これを認めても、酒税負担の公平を大きく失し又は酒税の検査取締上に支障をきたすこともないため、みなし製造の規定の適用から除外することになっている。

(2) **消費の直前に混和する場合**（法43⑩、令50⑬）

みなし製造の規定は、酒場、料理店その他酒類をもっぱら自己の営業場において飲用に供することを業とする者がその営業場において消費者の求めに応じ、又は酒類の消費者が自ら消費するため、消費の直前において酒類と他の物品（酒類を含む。）との混和をする場合については、適用しない。

(3) **自家用梅酒等を製造する場合**（法43⑪⑫、令50⑭、規13③）

① みなし製造の規定は、酒類の消費者が自ら消費するため酒類と他の物品（酒類を除く。）との混和をする場合（(2)の規定に該当する場合を除く。）において、次のそれぞれに掲げる事項に該当して行われるときについては、適用しない。

イ　その混和前の酒類は、アルコール分が20度以上のもの（酒類の製造場から移出されたことにより酒税が納付された、もしくは納付されるべき又は保税地域から引き取られたことにより酒税が納付された、もしくは納付されるべきもしくは徴収された、もしくは徴収されるべきものに限る。）であること。

ロ　酒類と混和をする物品は、糖類、梅、その他次に掲げる物品以外の物品であること。

(イ) 米、麦、あわ、とうもろこし、こうりゃん、きび、ひえもしくはでん粉又はこれらのこうじ

(ロ) ぶどう（やまぶどうを含む。）

(ハ) アミノ酸もしくはその塩類、ビタミン類、核酸分解物もしくはその塩類、有機酸もしくはその塩類、無機塩類、色素、香料又は酒類のかす

ハ　混和後新たにアルコール分が１度以上の発酵がないものであること。

② ①の規定の適用を受けた酒類は、販売してはならない。

(4) みなし製造の規定の適用除外の特例（措法87の８、措令46の８の６、措規37の４の７）

① みなし製造の規定は、酒場、料理店その他酒類を専ら自己の営業場において飲用に供することを業とする者がその営業場において飲用に供するためその営業場において蒸留酒類と他の物品（酒類を除く。）との混和をする場合（酒類の製造免許を受けた者がその製造免許を受けた製造場において当該混和をする場合又は(2)の規定に該当する場合を除く。）において、次のそれぞれに掲げる事項に該当して行われるときについては、適用しない。

イ 混和前の蒸留酒類は、アルコール分が20度以上のもの（酒類の製造場から移出されたことにより酒税が納付された、もしくは納付されるべき又は保税地域から引き取られたことにより酒税が納付された、もしくは納付されるべきもしくは徴収された、もしくは徴収されるべきものに限る。）であること。

ロ 蒸留酒類と混和をする物品は、糖類、梅、その他次に掲げる物品以外の物品であること。

(イ) 米、麦、あわ、とうもろこし、こうりゃん、きび、ひえもしくはでん粉又はこれらのこうじ

(ロ) ぶどう（やまぶどうを含む。）

(ハ) アミノ酸もしくはその塩類、ビタミン類、核酸分解物もしくはその塩類、有機酸もしくはその塩類、無機塩類、色素、香料又は酒類のかす

ハ 混和後新たにアルコール分が１度以上の発酵がないものであること。

② ①の規定の適用を受ける混和は、１年間（４月１日から翌年３月31日までの間をいう。）において当該混和をする蒸留酒類の数量が営業場ごとに１kℓを超えない範囲内で行うものに限るものとする。

③ ①の規定の適用を受けた混和後の酒類は、当該混和をした営業場において飲用に供する場合を除き、譲り渡してはならない。

④ ①の規定の適用を受ける混和をしようとする者は、その混和を開始する日の前日までに所定の事項を記載した申告書を営業場の所在地の所轄税務署長に提出しなければならない。

⑤ ①の規定の適用を受ける混和をする者は、その混和をした蒸留酒類の月ごとの数量を帳簿に記載しなければならない。

5．用語の意義　重要度○

蒸留酒類とは、次に掲げる酒類（アルコール分が10度未満で発泡性を有するものを除く。）をいう。

① 連続式蒸留焼酎　④ ブランデー
② 単式蒸留焼酎　⑤ 原料用アルコール
③ ウイスキー　⑥ スピリッツ

6－2　納税の担保　〔ランクＡ〕

■趣　旨■　重要度◎

酒類に課されている酒税は高率であり、その税額は我が国の租税収入の中でも重要な地位を占めていることから、国税庁長官等は、酒類製造者の資産、信用又は経営事情等を考慮して、酒税の保全のための必要があると認めるときは、その酒類製造者の意思の如何を問わず、担保の提供又は酒類の保存を命ずることができる。そして、万一その酒類製造者が酒税を滞納した場合には、提供を受けている担保又は保存酒類を処分することにより、酒税の保全を図ることにしている。

１．担保の提供及び酒類の保存　重要度◎

(1)　担保の提供及び酒類の保存命令（法31①）

国税庁長官等は、酒税の保全のため必要があると認めるときは、酒類製造者に対し、金額及び期間を指定し、酒税につき担保の提供を命ずることができる。

この場合において、提供すべき担保がないとき、又は酒類製造者の申請があったときは、担保の提供に代え、納税の担保として酒類の保存を命ずることができる。

(2)　金額又は期間の変更（法31②）

国税庁長官等は、必要があると認めるときは、(1)の金額又は期間を変更することができる。

(3)　承　認（法31④）

酒類の保存を命ぜられた者は、保存すべき酒類及び保存の方法を定め、その保存を命じた者の承認を受けなければならない。

(4)　容器封印（法31⑤）

税務署長は、必要があると認めるときは、保存される酒類の容器に封を施すことができる。

(5)　処分又は移出の禁止（法31⑥）

国税庁長官等は、担保の提供又は酒類の保存を命じた場合において、必要があると認めるときは、酒類製造者が担保を提供し、又は納税の担保として酒類の保存につき承認を受けるまで、その酒類製造者の製造場に現存する酒類の容器に封を施して、その処分又は移出を禁止することができる。

２．保存酒類の変換及び処分等　重要度○

(1)　保存酒類の変換（法34①）

酒類の保存をした酒類製造者は、その酒類の保存を命じた者の承認を受けた場合に限り、保存する酒類を変換することができる。

(2)　保存酒類の処分（法34②）

納税の担保として酒類を保存した場合において、納税義務者が納期限までに酒税を納付しないときは、国税通則法に規定する担保の処分の例によりその酒類を処分してその酒税及び処分費に充てる。

(3)　保存酒類の処分又は移出の禁止（法35）

酒類製造者は、納税の担保として保存する酒類を処分し、又は製造場から移出してはならない。

(4)　国税徴収法との関係（法34③）

国税徴収法の担保を徴収した国税の優先の規定は、保存された酒類について準用する。

３．酒類の差押（法36）　重要度○

税務署長は、都度申告の規定に該当する場合又は国税通則法の規定により酒税の繰上請求をする場合においては、その担保として、国税徴収法の規定による差押の例により、酒類を差し押えることができる。

４．用語の意義　重要度○

(1)　国税庁長官等とは、国税庁長官、国税局長又は税務署長をいう。

(2)　酒類製造者とは、酒類の製造免許を受けた者をいう。

6－3　原料用酒類の移出の禁止　〔ランクＢ〕

■趣　旨■　重要度◎

製造免許を受けないで製造した原料用酒類は、それ自体酒類の原料又は中間製品であり、独自の酒類として流通することを予期していないことから、これを自由に移出することを容認してしまうと、品目ごとに酒類の製造免許を受けなければならないという酒税法の趣旨に反することになるため、所轄税務署長の承認を受けないで、その製造場から移出することは原則として禁止されている。

１．内　容（法44①）　重要度◎

酒類製造者が製造免許を受けないで製造した原料用酒類をその製造場から移出しようとするときは、その製造場の所在地の所轄税務署長の承認を受けなければならない。

ただし、酒類製造者が自己の他の酒類製造場において製造免許を受けている酒類の原料（移出する製造場において製造免許を受けている酒類と同一の品目の酒類の原料とする場合に限る。）とするための酒類で、かつ、未納税移出の規定の適用を受けて移出する場合については、この限りでない。

２．用語の意義　重要度○

酒類製造者とは、酒類の製造免許を受けた者をいう。

(MEMO)

6−4　酒母又はもろみの処分又は移出の禁止〔ランクB〕

■趣　旨■　重要度◎

酒母又はもろみは、それ自体独立して特定の用途に供することも考えられるが、通常は酒類の製造過程における中間製成物というべきものであり、これを自由に処分し、又は移出することを容認してしまうと酒類の密造を誘発するおそれがあるため、酒税法においては、特にこの取締りを厳重にし、これを処分し、又は移出しようとする場合には、所轄税務署長の承認を受けさせることにしている。

1．内　容（法44②③）　重要度◎

(1) 酒母又はもろみの製造者は、酒母又はもろみを処分し、又はその製造場から移出しようとするときは、その製造場の所在地の所轄税務署長の承認を受けなければならない。

ただし、次に掲げる場合については、この限りでない。

① 酒類製造者が、その製造免許を受けた製造場において、その酒類の製造の用に供するため、酒母又はもろみを使用する場合。

② もろみの製造免許を受けた者が、その製造免許を受けた製造場において、そのもろみの製造の用に供するため、酒母を使用する場合。

③ アルコール事業法の規定によりアルコールの製造の許可又は承認を受けた者が、そのアルコールの製造の用に供するため、酒母又はもろみを使用する場合。

④ 酢の製造業者が酒母又はもろみを酢の製造に使用する場合。

⑤ 酒類製造者又は酒母等の製造者に酒母を譲り渡す場合。

(2) 税務署長は、(1)の承認を与える場合において、酒税の取締り上特に必要があると認めるときは、酒母又はもろみに酒類として飲用することができない処置を施すべき旨を命ずることができる。

2．用語の意義　重要度○

(1) 酒類製造者とは、酒類の製造免許を受けた者をいう。

(2) 酒母等の製造者とは、酒母又はもろみの製造免許を受けた者をいう。

(MEMO)

6－5　酒類製造者等の受忍義務　〔ランクB〕

1．記帳義務（法46）　重要度○

酒類製造者、酒母もしくはもろみの製造者、酒類の販売業者又は特例申告者は、製造、貯蔵、販売又は保税地域からの引取りに関する事実を帳簿に記載しなければならない。

2．申告義務（法47、令53）　重要度○

(1) 酒類製造者又は酒母もしくはもろみの製造者は、製造場の位置、製造及び貯蔵の設備、製造の開始、休止及び終了並びに製造方法について、その製造場の所在地の所轄税務署長に申告しなければならない。

① 製造設備の申告

酒類製造者は、酒類の製造免許を受け、又はその製造場を移転したときは、直ちに、その免許を受けた製造場又は移転先の製造場について、所定の事項を記載した申告書（製造設備申告書）を、その製造場の所在地の所轄税務署長に提出しなければならない。

② 製造方法等の申告

酒類製造者又は酒母もしくはもろみの製造者は、製造の開始の日までに、製造方法の詳細等を記載した申告書をその製造場の所在地の所轄税務署長に提出しなければならない。

③ 製造終了の申告

酒類製造者又は酒母もしくはもろみの製造者は、申告した製造方法による酒類等の製造を終了した場合には、遅滞なく、製造の終了の年月日等を記載した申告書をその製造場の所在地の所轄税務署長に提出しなければならない。

④ 製造休止の申告

酒類製造者又は酒母もしくはもろみの製造者は、1年以上製造を休止しようとするときは、あらかじめ、所定の事項を記載した申告書をその製造場の所在地の所轄税務署長に提出しなければならない。

(2) 酒類製造者は、その年度の酒類の製成及び移出数量、その年度の末日における酒類の所持数量並びにその年度中に酒類をその製造場から移出しなかった場合には、その旨を、その年度の末日の属する月の翌月末日までに、その製造場の所在地の所轄税務署長に申告しなければならない。

(3) 酒類販売業者は、その販売業を休止又は開始したときは、遅滞なく、その旨をその販売場の所在地（販売場を設けていない場合には、住所地）の所轄税務署長に申告しなければならない。

(4) 税務署長は、酒税の取締り上必要があると認めるときは、酒類の販売業者に対し、その購入もしくは販売をした酒類又は所持する酒類の数量その他一定の事項について、報告を求めることができる。

3．申告義務等の承継（法48）

重要度○

法人が合併した場合においては、合併後存続する法人又は合併により設立された法人は、合併により消滅した法人の次に掲げる義務を、相続があった場合においては、相続人は、被相続人の次に掲げる義務を、それぞれ、承継する。

(1) 月例申告もしくは都度申告、関税法に規定する申告納税方式適用酒類に係る申告（同法に規定する特例申告を行う場合に限る。）又は2の規定による申告の義務

(2) 1の規定による記帳の義務

4．承認を受ける義務（法50）

重要度△

(1) 酒類製造者又は酒類販売業者は、次に掲げる場合（酒類販売業者については、⑤及び⑦に掲げる場合に限る。）においては、その製造場又は販売場の所在地（酒類販売業者が販売場を設けていない場合には、住所地）の所轄税務署長の承認を受けなければならない。

ただし、所轄税務署長の承認を受け、酒類の保存のため、酒類にアルコール又は焼酎を混和した場合には、この限りでない。

① 副原料清酒を製造しようとするとき。

② 清酒の製造免許を受けた者が、清酒にアルコール又は焼酎を加えようとするとき。

③ 清酒又は合成清酒の製造免許を受けた者が、清酒と合成清酒とを混和しようとするとき。

④ ウイスキー原酒又はブランデー原酒をスピリッツの製造の原料に供しようとするとき。

⑤ 酒類に水その他の物品（酒類を含む。）を混和しようとするときで一定の場合。ただし、①から④までのいずれかに該当する場合を除く。

⑥ 製造場にある酒類に酒類として飲用することができない処置を施そうとするとき。

⑦ ①から⑥までのほか、酒類の製造、貯蔵又は販売に関し酒税の取締り又は保全上必要があるときで一定の場合。

(2) 税務署長は、(1)のいずれかの場合において、酒税の取締り又は保全上特に必要があると認めるときを除いては、(1)の承認を与えるものとする。

５．届出義務（法50の２）

重要度○

(1)　４(1)のいずれかに該当する場合を除き、酒類製造者又は酒類販売業者は、酒類に関し次に掲げる行為をしようとする場合には、その旨をその行為をしようとする場所の所在地の所轄税務署長に届け出なければならない。

①　酒類製造者又は酒類販売業者が、酒類の製造場又は保税地域以外の場所で酒類を詰め替える行為

②　①のほか、酒税の取締り又は保全上必要があるものとして一定の行為

(2)　酒類製造者又は酒母等の製造者は、次に掲げる場合には、直ちにその製造場の所在地の所轄税務署長に届け出なければならない。

①　製造場にある酒類、酒母又はもろみが亡失したとき。

②　製造場にある酒類が腐敗その他の事由により飲用に供し難くなったとき。

③　製造場にある酒母又はもろみが腐敗したとき。

(3)　(2)②又は③に規定する場合において、酒税の取締り又は保全上必要があると認めるときは、税務署長は、相当の期間を定めて、②の酒類又は③の酒母もしくはもろみの処分を禁止することができる。

６．用語の意義

重要度○

(1)　酒類製造者とは、酒類の製造免許を受けた者をいう。

(2)　酒母等の製造者とは、酒母又はもろみの製造免許を受けた者をいう。

(3)　特例申告者とは、保税地域からの引取りに係る酒類につき関税法に規定する特例申告を行う者をいう。

(4)　酒類等とは、酒類、酒母又はもろみをいう。

(5)　その年度とは、その年の４月１日からその年の翌年３月31日までの間をいう。

(6)　酒類販売業者とは、酒類の販売業免許を受けた者をいう。

(MEMO)

6－6　酒類の定義等　〔ランクＣ〕

1．酒類の定義及び種類（法２①）　重要度○

(1) 酒類とは、アルコール分１度以上の飲料（薄めてアルコール分１度以上の飲料とすることができるもの（アルコール分が90度以上のアルコールのうち、酒類の製造免許を受けた者がその製造免許を受けた製造場において製造するもの以外のものを除く。）又は溶解してアルコール分１度以上の飲料とすることができる粉末状のものを含む。）をいう。

(2) 酒類は、発泡性酒類、醸造酒類、蒸留酒類及び混成酒類の４種類に分類する。

2．４種類の定義　重要度△

(1) 発泡性酒類（法３三、法附則34）

発泡性酒類とは、次に掲げる酒類をいう。

①　ビール

②　発泡酒

③　①及び②に掲げる酒類以外の酒類で発泡性を有するもの（アルコール分が10度未満のものに限る。以下「その他の発泡性酒類」という。）

(2) 醸造酒類（法３四）

醸造酒類とは、次に掲げる酒類（その他の発泡性酒類を除く。）をいう。

①　清　酒

②　果実酒

③　その他の醸造酒

(3) 蒸留酒類（法３五）

蒸留酒類とは、次に掲げる酒類（その他の発泡性酒類を除く。）をいう。

①　連続式蒸留焼酎　　④　ブランデー

②　単式蒸留焼酎　　⑤　原料用アルコール

③　ウイスキー　　⑥　スピリッツ

(4) 混成酒類（法３六）

混成酒類とは、次に掲げる酒類（その他の発泡性酒類を除く。）をいう。

①　合成清酒　　④　リキュール

②　みりん　　⑤　粉末酒

③　甘味果実酒　　⑥　雑　酒

３．17品目別の定義　重要度△

(1) 清　酒（法３七）

清酒とは、次に掲げる酒類でアルコール分が22度未満のものをいう。

① 米、米こうじ及び水を原料として発酵させて、こしたもの

② 米、米こうじ、水及び清酒かすその他一定の物品を原料として発酵させて、こしたもの（その原料中一定の物品の重量の合計が米（こうじ米を含む。）の重量の100分の50を超えないものに限る。）

③ 清酒に清酒かすを加えて、こしたもの

(2) 合成清酒（法３八）

合成清酒とは、アルコール、焼酎（連続式蒸留焼酎又は単式蒸留焼酎をいい、水以外の物品を加えたものを除く。以下(5)において同じ。）又は清酒とぶどう糖その他一定の物品を原料として製造した酒類（当該酒類の原料として米又は米を原料の全部もしくは一部として製造した物品を使用したものについては、米の重量の合計が、アルコール分20度に換算した場合の当該酒類の重量の100分の５を超えないものに限る。）で、その香味、色沢その他の性状が清酒に類似するもの（アルコール分が16度未満でエキス分が５度以上であることその他の一定の要件を満たすものに限る。）をいう。

(3) 連続式蒸留焼酎（法３九）

連続式蒸留焼酎とは、アルコール含有物を連続式蒸留機により蒸留した酒類（一定の砂糖等を加えたもので一定の要件を満たすものを含み、次に掲げるものを除く。）で、アルコール分が36度未満のものをいう。

① 発芽させた穀類又は果実（なつめやしの実を除く。）を原料の全部又は一部としたもの

② しらかばの炭その他一定のものでこしたもの

③ 含糖質物（一定の砂糖を除く。）を原料の全部又は一部としたもので、そのアルコール含有物の蒸留の際の留出時のアルコール分が95度未満のもの

④ アルコール含有物を蒸留する際、発生するアルコールに他の物品の成分を浸出させたもの

(4) 単式蒸留焼酎（法３十）

単式蒸留焼酎とは、次に掲げる酒類（(3)①から④に掲げるものを除く。）で、アルコール分が45度以下のものをいう。

① 穀類又は芋類、これらのこうじ及び水を原料として発酵させたアルコール含有物を連続式蒸留機以外の蒸留機（以下「単式蒸留機」という。）により蒸留したもの

② 穀類のこうじ及び水を原料として発酵させたアルコール含有物を単式蒸留機により蒸留したもの

③　清酒かす及び水もしくは清酒かす、米、米こうじ及び水を原料として発酵させたアルコール含有物又は清酒かすを単式蒸留機により蒸留したもの

④　砂糖（一定のものに限る。）、米こうじ及び水を原料として発酵させたアルコール含有物を単式蒸留機により蒸留したもの

⑤　穀類又は芋類、これらのこうじ、水及び一定の物品を原料として発酵させたアルコール含有物を単式蒸留機により蒸留したもの（その原料中一定の物品の重量の合計が穀類又は芋類（これらのこうじを含む。）の重量を超えないものに限る。）

⑥　①から⑤までに掲げる酒類以外の酒類でアルコール含有物を単式蒸留機により蒸留したもの（一定の砂糖等を加えたもので一定の要件を満たすものを含む。）

(5) みりん（法３十一）

みりんとは、次に掲げる酒類でアルコール分が15度未満のもの（エキス分が40度以上であることその他の一定の要件を満たすものに限る。）をいう。

①　米及び米こうじに焼酎又はアルコールを加えて、こしたもの

②　米、米こうじ及び焼酎又はアルコールにみりんその他一定の物品を加えて、こしたもの

③　みりんに焼酎又はアルコールを加えたもの

④　みりんにみりんかすを加えて、こしたもの

(6) ビール（法３十二）

ビールとは、次に掲げる酒類でアルコール分が20度未満のものをいう。

①　麦芽、ホップ及び水を原料として発酵させたもの

②　麦芽、ホップ、水及び麦その他の一定の物品を原料として発酵させたもの（その原料中麦芽の重量がホップ及び水以外の原料の重量の合計の100分の50以上のものであり、かつ、その原料中一定の物品の重量の合計が麦芽の重量の100分の５を超えないものに限る。）

③　①又は②に掲げる酒類にホップ又は一定の物品を加えて発酵させたもの（その原料中麦芽の重量がホップ及び水以外の原料の重量の合計の100分の50以上のものであり、かつ、その原料中一定の物品の重量の合計が麦芽の重量の100分の５を超えないものに限る。）

(7) 果実酒（法３十三）

果実酒とは、次に掲げる酒類でアルコール分が20度未満のもの（②から④までに掲げる酒類については、アルコール分が15度以上のものその他一定のものを除く。）をいう。

①　果実又は果実及び水を原料として発酵させたもの

② 果実又は果実及び水に糖類（一定のものに限る。③及び④において同じ。）を加えて発酵させたもの
③ ①又は②に掲げる酒類に糖類を加えて発酵させたもの
④ ①から③までに掲げる酒類にブランデー、アルコールもしくは一定のスピリッツ（以下「ブランデー等」という。）又は糖類、香味料もしくは水を加えたもの（ブランデー等を加えたものについては、当該ブランデー等のアルコール分の総量が当該ブランデー等を加えた後の酒類のアルコール分の総量の100分の10を超えないものに限る。）
⑤ ①から④までに掲げる酒類に一定の植物を浸してその成分を浸出させたもの

(8) 甘味果実酒（法３十四）

甘味果実酒とは、次に掲げる酒類で果実酒以外のものをいう。
① 果実又は果実及び水に糖類を加えて発酵させたもの
② (7)①もしくは②に掲げる酒類又は①に掲げる酒類に糖類を加えて発酵させたもの
③ (7)①から③に掲げる酒類又は①もしくは②に掲げる酒類にブランデー等又は糖類、香味料、色素もしくは水を加えたもの（ブランデー等を加えたものについては、当該ブランデー等のアルコール分の総量が当該ブランデー等を加えた後の酒類のアルコール分の総量の100分の90を超えないものに限る。④において同じ。）
④ 果実酒又は①から③までに掲げる酒類に植物を浸してその成分を浸出させたものもしくは薬剤を加えたもの又はこれらの酒類にブランデー等、糖類、香味料、色素もしくは水を加えたもの

(9) ウイスキー（法３十五）

ウイスキーとは、次に掲げる酒類（①又は②に掲げるものについては、(3)②から④に掲げるものを除く。）をいう。
① 発芽させた穀類及び水を原料として糖化させて、発酵させたアルコール含有物を蒸留したもの（当該アルコール含有物の蒸留の際の留出時のアルコール分が95度未満のものに限る。）
② 発芽させた穀類及び水によって穀類を糖化させて、発酵させたアルコール含有物を蒸留したもの（当該アルコール含有物の蒸留の際の留出時のアルコール分が95度未満のものに限る。）
③ ①又は②に掲げる酒類にアルコール、スピリッツ、香味料、色素又は水を加えたもの（①又は②に掲げる酒類のアルコール分の総量がアルコール、スピリッツ又は香味料を加えた後の酒類のアルコール分の総量の100分の10以上のものに限る。）

(10) **ブランデー**（法3十六）

ブランデーとは、次に掲げる酒類（①に掲げるものについては、(3)②から④に掲げるものを除く。）をいう。

① 果実もしくは果実及び水を原料として発酵させたアルコール含有物又は果実酒（果実酒かすを含む。）を蒸留したもの（当該アルコール含有物又は果実酒の蒸留の際の留出時のアルコール分が95度未満のものに限る。）

② ①に掲げる酒類にアルコール、スピリッツ、香味料、色素又は水を加えたもの（①に掲げる酒類のアルコール分の総量がアルコール、スピリッツ又は香味料を加えた後の酒類のアルコール分の総量の100分の10以上のものに限る。）

(11) **原料用アルコール**（法3十七）

原料用アルコールとは、(3)又は(4)の規定（アルコール分に関する規定を除く。）に該当する酒類（水以外の物品を加えたものを除く。）でアルコール分が45度を超えるものをいう。

(12) **発泡酒**（法3十八）

発泡酒とは、次に掲げる酒類（(1)から(11)までに掲げる酒類を除く。）で発泡性を有するもの（アルコール分が20度未満のものに限る。）をいう。

① 麦芽又は麦を原料の一部とした酒類（麦芽又は麦を原料の一部としたアルコール含有物を蒸留したものを原料の一部としたものを除く。）

② ①に掲げる酒類以外の酒類で、ホップ又は一定の苦味料を原料の一部としたもの

③ ①又は②に掲げる酒類以外の酒類で、香味、色沢その他の性状がビールに類似するものとして一定のもの

(13) **その他の醸造酒**（法3十九）

その他の醸造酒とは、穀類、糖類その他の物品を原料として発酵させた酒類（(1)から(12)までに掲げる酒類その他一定のものを除く。）でアルコール分が20度未満のもの（エキス分が2度以上のものに限る。）をいう。

(14) **スピリッツ**（法3二十）

スピリッツとは、(1)から(13)までに掲げる酒類以外の酒類でエキス分が2度未満のものをいう。

(15) **リキュール**（法3二十一）

リキュールとは、酒類と糖類その他の物品（酒類を含む。）を原料とした酒類でエキス分が2度以上のもの（(1)から(13)までに掲げる酒類、粉末酒及びその性状がみりんに類似する酒類として一定のものを除く。）をいう。

(16) **粉末酒**（法３二十二）

粉末酒とは、上記１に規定する溶解してアルコール分１度以上の飲料とすることができる粉末状の酒類をいう。

(17) **雑　酒**（法３二十三）

雑酒とは、(1)から(16)までに掲げる酒類以外の酒類をいう。

(MEMO)

過去本試験理論問題

過去本試験理論問題

酒税法第43条の「みなし製造」の規定の趣旨を説明するとともに、酒類に水以外の物品（当該酒類と同一の品目に属する酒類を除く。）を混和した場合で、混和後のものが酒類であっても新たな酒類を製造したものとみなされない場合について、５つ例を挙げなさい。（第31回・昭和56年度）

1　みなし製造の趣旨

⇨テーマ６－１　趣　旨

2　新たに酒類を製造したものとみなされない場合

次に掲げる場合については、新たに酒類を製造したものとみなされない。

(1)

(2)

(3)

(4)

(5)

⇨テーマ６－１　２．新たに酒類を製造したものとみなされない場合

次の具体例のうち５つ書く。

(1) ①から⑥までの具体例

(2) 酒類の保存のために混和した場合

(MEMO)

過去本試験理論問題

麦芽を原料の一部として製造した酒類の品目を、麦芽とともに使用する他の原料及び製造方法を示して答えなさい。　（第32回・昭和57年度）

1　ビール

(1) ビールとは、次に掲げる酒類でアルコール分が20度未満のものをいう。

①　麦芽、ホップ及び水を原料として発酵させたもの

②　麦芽、ホップ、水及び麦その他の一定の物品を原料として発酵させたもの（その原料中麦芽の重量がホップ及び水以外の原料の重量の合計の100分の50以上のものであり、かつ、その原料中一定の物品の重量の合計が麦芽の重量の100分の5を超えないものに限る。）

③　①又は②に掲げる酒類にホップ又は一定の物品を加えて発酵させたもの（その原料中麦芽の重量がホップ及び水以外の原料の重量の合計の100分の50以上のものであり、かつ、その原料中一定の物品の重量の合計が麦芽の重量の100分の5を超えないものに限る。）

2　ウイスキー

ウイスキーとは、次に掲げる酒類（(1)又は(2)に掲げるものについては、焼酎の規定から除かれるスピリッツに該当するものを除く。）をいう。

(1) 発芽させた穀類及び水を原料として糖化させて、発酵させたアルコール含有物を蒸留したもの（そのアルコール含有物の蒸留の際の留出時のアルコール分が95度未満のものに限る。）

(2) 発芽させた穀類及び水によって穀類を糖化させて、発酵させたアルコール含有物を蒸留したもの（そのアルコール含有物の蒸留の際の留出時のアルコール分が95度未満のものに限る。）

(3) (1)又は(2)に掲げる酒類にアルコール、スピリッツ、香味料、色素又は水を加えたもの（(1)又は(2)に掲げる酒類のアルコール分の総量がアルコール、スピリッツ又は香味料を加えた後の酒類のアルコール分の総量の100分の10以上のものに限る。）

3　発泡酒

発泡酒とは、次に掲げる酒類（清酒の規定から原料用アルコールの規定までに掲げる酒類を除く。）で発泡性を有するもの（アルコール分が20度未満のものに限る。）をいう。

(1) 麦芽又は麦を原料の一部とした酒類（麦芽又は麦を原料の一部としたアルコール含有物を蒸留したものを原料の一部としたものを除く。）

(2) (1)に掲げる酒類以外の酒類で、ホップ又は一定の苦味料を原料の一部としたもの

(3) (1)又は(2)に掲げる酒類以外の酒類で、香味、色沢その他の性状がビールに類似するものとして一定のもの

4　その他の醸造酒

その他の醸造酒とは、穀類、糖類その他の物品を原料として発酵させた酒類（清酒の規定から発泡酒の規定までに掲げる酒類その他一定のものを除く。）でアルコール分が20度未満のもの（エキス分が２度以上のものに限る。）をいう。

5　スピリッツ

スピリッツとは、清酒の規定からその他の醸造酒の規定までに掲げる酒類以外の酒類でエキス分が２度未満のものをいう。

6　リキュール

リキュールとは、酒類と糖類その他の物品（酒類を含む。）を原料とした酒類でエキス分が２度以上のもの（清酒の規定からその他の醸造酒の規定までに掲げる酒類、粉末酒及びその性状がみりんに類似する酒類として一定のものを除く。）をいう。

7　雑　酒

雑酒とは、清酒の規定から粉末酒の規定までに掲げる酒類以外の酒類をいう。

過去本試験理論問題

酒税は、原則として酒類がその製造場から移出されたときに課税する建前をとっているが、一定の条件を満たした場合には課税を免除する制度として未納税移出がある。この未納税移出の規定の趣旨を説明するとともに、未納税移出の適用範囲について、５つの例を挙げ説明しなさい。 (第33回・昭和58年度)

1　未納税移出の規定の趣旨

⇨テーマ３－１　趣　旨

2　未納税移出の適用範囲

適用要件

(1)

(2)

(3)

(4)

(5)

⇨テーマ３－１　１．適用要件を書き、次の具体例のうち５つ書く。

(1) 事後申告制度によって未納税移出をすることができる場合

(2) 事前承認制度によって未納税移出をすることができる場合

3　用語の意義

(1) 酒類製造者

(2) 輸出業者

(MEMO)

過去本試験理論問題

> 酒税法に規定する「酒類製造者」と「酒類の製造者」の違いについて説明しなさい。また、国産酒類の酒税の納税義務者は、酒類の製造者とされているが、酒類の製造者以外でも納税義務者となる場合がある。どのような場合か、５つ例を挙げ説明しなさい。
>
> なお、租税特別措置法に関しては考慮する必要はない。
>
> （第34回・昭和59年度改題）

1　「酒類製造者」と「酒類の製造者」の違い

酒税法では、「酒類製造者」と「酒類の製造者」は、その意義を異にしており、「酒類製造者」とは、酒類の製造免許の規定により酒類の製造につき製造場の所在地の所轄税務署長の免許を受けた者をいい、「酒類の製造者」とは、酒類を自己の責任において製造した者をいい、その者が酒類の製造免許を受けているかどうかは問わない。したがって、酒類の製造免許を受けないで酒類を製造した者（いわゆる密造者）も、酒類の製造者になる。

2　酒類の製造者以外でも納税義務者となる場合

(1)　酒類製造者とみなされた者

酒類製造者とみなされた者は、本来の酒類製造者と同様に、申告、申請、納付又は記帳等の義務等が課されることになる。

①　酒類の製造免許の効力が消滅したことにより、酒類の製造免許を有しないことになった者で、必要な行為の継続の規定の適用を受けることになったもの

②　実際に酒類を製造した者ではないが、未納税移出の規定の適用を受けた酒類を所定の場所に移入した者

(2)　酒類の製造者とみなされた者

次に掲げる者は、酒類製造者とみなされた者ではないが、酒類の製造者とみなして、酒税の納税義務を負うことになる。

①　酒母等の製造者で、その製造した酒母又はもろみについてその他の醸造酒とみなされたことにより、酒税の納税義務者となったもの

②　酒類等が酒類等の製造者の製造場において飲用された場合において、その飲用につき、その製造者の責めに帰することができないときにおけるその飲用者

③　酒類等が酒類等の製造者の製造場から移出された場合において、その移出につき、その製造者の責めに帰することができないときにおけるその移出者

(3) 酒税法の規定に違反したことによる酒税の納税義務者

酒税法の規定に違反した者については、酒類の製造者とみなすのではなく、各罰則規定において、当該違反した者を酒税の納税義務者として規定している。

① 酒類等の製造免許を受けないで、酒類等を製造した者又は酒類等の製造に着手してこれを遂げない者

② 法令において認められる場合のほか、製造免許を受けない者の製造した酒類等を所持し、譲り渡し、又は譲り受けた者。ただし、酒類等の製造者が判明しない場合に限る。

③ 酒母又はもろみの製造者で、酒母又はもろみを承認を受けないで処分し、又は製造場から移出したもの

④ 酒母又はもろみの製造者で、不可飲処置の命令に違反して酒母又はもろみを処分し、又は製造場から移出したもの

(4) 用語の意義

① 酒母等の製造者とは、酒母又はもろみの製造免許を受けた者をいう。

② 酒類等とは、酒類又は酒母もしくはもろみをいう。

上記(1)から(3)のうち５つ例を挙げる。

過去本試験理論問題

> 酒類の製造免許は、一つの製造場における免許を受けた後1年間の酒類の製造見込数量が品目毎に定める法定製造数量以上である場合に限り、これを与えることとしている。この法定製造数量の規定の趣旨を述べるとともに、この規定が適用されない場合を列挙しその理由を述べなさい。
>
> （第35回・昭和60年度）

1　法定製造数量の規定の趣旨

⇨テーマ２－１　２．法定製造数量
(1) 趣　旨の前半部分を書く。

2　法定製造数量の規定が適用されない場合及びその理由

(1) 適用されない場合

⇨テーマ２－１　２．法定製造数量
(3) 適用除外

(2) 理　由

⇨テーマ２－１　２．法定製造数量
(1) 趣　旨の後半部分を書く。

(MEMO)

過去本試験理論問題

酒税法上の蔵置場について説明し、蔵置場に課税済酒類が移入された場合の酒税の取扱いを述べなさい。 なお、未納税引取に関しては考慮する必要はない。　（第37回・昭和62年度改題）

1　酒税法上の蔵置場

(1) 酒税法上の蔵置場（当該蔵置場の設置につき、その蔵置場の所在地の所轄税務署長の許可を受けた蔵置場に限る。）とは、酒類製造者が、未納税移出の適用を受けて、移出された酒類を蔵置する場所をいう。

(2) みなし規定

未納税移出をした酒類については、その酒類を移入した場所がその酒類の製造免許を受けた製造場でないときは、これをその酒類の製造免許を受けた製造場とみなす。

2　蔵置場に課税済酒類が移入された場合の酒税の取扱い

未納税移出の適用を受けた酒類をその蔵置場に移入し、当該蔵置場から課税移出した酒類がその蔵置場に移入された場合には、その蔵置場が未納税移出の規定により、当該酒類の製造免許を受けた製造場とみなされるため、「その製造場から移出した酒類をその製造場に戻し入れた場合」に該当し、本来の戻入れ控除の適用がある。

なお、みなし規定による戻入れ控除に規定する「その者の他の酒類製造場」には、未納税移出の規定により、製造場とみなされた蔵置場は含まれないことになるため、当該蔵置場に課税済酒類が移入されても、みなし規定による戻入れ控除の適用はない。

(1) 本来の戻入れ控除

酒類製造者がその製造場から移出した酒類をその製造場に戻し入れた場合には、その者がその戻入れの日の属する月（その戻入れの日とその移出の日とが同一の月に属する場合には、その月の翌月）以後に提出期限の到来する納税申告書（期限内申告に限る。）に記載した酒税額の合計額からその酒類につきその移出により納付された、又は納付されるべき酒税額に相当する金額を控除する。

(2) 酒税額の還付

上記の場合において、控除を受けるべき月の納税申告書に酒税額の控除不足額の記載があるとき、又は還付申告書の提出があったときは、それぞれ、その不足額又はその申告書に記載された還付を受ける金額に相当する金額を還付する。

(3) 手　続

上記の規定による控除又は還付を受けようとする者は、その控除又は還付に係る納税申告書又は還付申告書にその控除又は還付を受けようとする酒税額に相当する金額の計算に関する書類を添付しなければならない。

3　用語の意義

酒類製造者とは、酒類の製造免許を受けた者をいう。

【図　解】

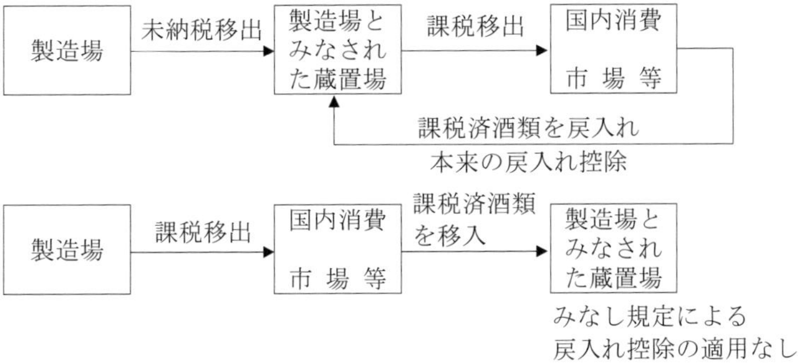

> 酒類販売業者が、輸出するための酒類（輸出免税の適用を受ける酒類）を酒類製造者の製造場から、当該酒類販売業者の事業場に移入しようとする場合の酒税法上の取扱い及び手続について述べなさい。また、当該輸出するための酒類が当該事業場に運送される途中で飲用された場合の酒税法上の取扱いを述べなさい。
>
> （第38回・昭和63年度）

1　酒類販売業者の事業場に移入しようとする場合の酒税法上の取扱い及び手続

酒類販売業者が輸出業者に該当する場合には、当該酒類販売業者の事業場（蔵置場）に酒類を移出した酒類製造者については、未納税移出の適用がある。

また、未納税移出の適用により、当該酒類販売業者が酒類製造者とみなされ、その事業場（蔵置場）が酒類の製造免許を受けた製造場とみなされることにより、その酒類販売業者については、輸出免税の適用がある。

(1)　未納税移出

①　適用要件

酒類製造者が、輸出業者が輸出するための酒類をその酒類の製造場からその輸出業者の蔵置場（当該蔵置場の設置につき、その蔵置場の所在地の所轄税務署長の許可を受けた蔵置場に限る。）へ移出する場合には、その移出に係る酒税を免除する。

②　未納税移出をした酒類製造者の手続

イ　原則手続

未納税移出の規定は、移出をした酒類製造者が、その移出をした日の属する月分の納税申告書（期限内申告に限る。以下同じ。）にその酒類が未納税移出酒類に該当すること及びその酒類が所定の移入場所に移入されたことについての明細を記載した書類を添付しない場合には、適用しない。

ロ　延期手続

やむを得ない事情があるためイに規定する書類をイの申告書に添付することができないときは、その書類は、次のそれぞれに掲げる区分に応じ、それぞれに掲げる日までに提出すれば足りるものとする。

(ｲ)　酒類製造者が、その書類をその申告書の提出期限から３月以内に提出することを予定している場合において、その予定日をその申告書の提出先の税務署長に届け出たとき。……その予定日

(ﾛ)　酒類製造者が、その書類をその申告書の提出期限から３月を経過した日以後に提出することを予定している場合において、その申告書の提出先の税務署長の承認を受けたとき。……その税務署長が指定した日

ハ　亡失手続

未納税移出をした酒類を所定の移入場所に移入する前に、災害その他やむを得ない事情により亡失した場合において、その亡失の場所の最寄りの税務署の税務署長に亡失の事実を届け出て、その税務署長から亡失証明書の交付を受けたときは、その証明書は、イに規定する書類に代えて用いることができる。

③　未納税移入をした酒類販売業者の手続等

イ　移入者の提出書類

未納税移出をした酒類を所定の移入場所に移入した者は、その酒類の移入の目的、税率の適用区分及びその区分ごとの数量その他一定の事項を記載した書類を、その場所の所在地の所轄税務署長に、その移入をした日の属する月の翌月末日までに提出しなければならない。

ロ　みなし規定

未納税移出をした酒類については、その酒類を所定の移入場所に移入した者がその酒類の酒類製造者でないときは、これをその酒類の酒類製造者とみなし、その場所がその酒類の製造免許を受けた製造場でないときは、これをその酒類の製造免許を受けた製造場とみなす。

(2)　輸出免税

①　適用要件

酒類製造者が、輸出する目的で、酒類をその製造場から移出する場合には、その移出に係る酒税を免除する。

②　手　続

輸出免税の規定は、移出をした酒類製造者が、その酒類につきその移出をした日の属する月分の納税申告書にその酒類の税率の適用区分及びその区分ごとの課税標準たる数量を記載し、かつ、その酒類の輸出に関する明細を帳簿に記載する方法により明らかにしている場合に限り、適用する。

上記の酒類製造者は、その酒類につき、次に掲げる区分に応じ、それぞれに定める方法によりその明細を明らかにしなければならない。

イ　ロ以外

輸出許可証等に基づいて、次に掲げる事項を帳簿に記載する方法

(イ) その酒類の税率の適用区分及びその区分ごとの数量

(ロ) 輸出の年月日及び仕向地

(ハ) 輸出港の所轄税関

(ニ) その酒類の輸出をした者がその酒類の酒類製造者以外の者であるときは、その輸出をした者の住所及び氏名又は名称

(ホ) その他参考となるべき事項

ロ　その酒類を輸出する前に災害その他やむを得ない事情により亡失した場合

その亡失の場所の最寄りの税務署又は税関の税務署長又は税関長から交付を受けた亡失証明書に基づいて、次に掲げる事項を帳簿に記載する方法

(イ) 亡失の年月日、時刻、場所及び原因

(ロ) 亡失した酒類の税率の適用区分、その区分ごとの数量、移出をした年月日、移出先並びに移出をした製造場の所在地及び名称

(ハ) その他参考となるべき事項

2　輸出するための酒類が当該事業場に運送される途中で飲用された場合の酒税法上の取扱い

飲用された酒類については、移出者及び移入者が未納税移出の適用を受けるために提出する書類に記載されないため、酒類販売業者の事業場に酒類を移出した酒類製造者については、未納税移出の適用がない。したがって、製造場移出時課税の原則により、移出時に酒税が課されることになり、月例申告により税額が確定する。

3　用語の意義

(1) 酒類製造者とは、酒類の製造免許を受けた者をいう。

(2) 輸出業者とは、他から購入した酒類の販売を業とする者で常時酒類の輸出を行うものをいう。

【図　解】

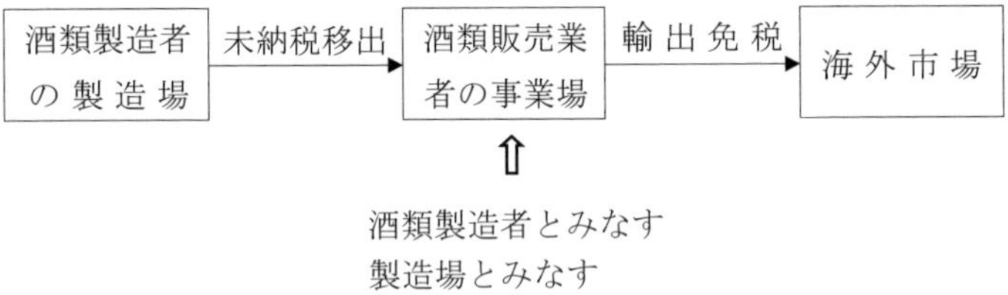

(MEMO)

過去本試験理論問題

国産酒類に係る酒税の申告納税方式の類型、意義について説明しなさい。 （第39回・平成元年度）

1　申告納税方式の類型

(1) 月例申告

①　申　告

②　納　付

⇨テーマ５－１　２．月例申告
(1) 申　告
(2) 納　付

(2) 都度申告

①　申　告

②　納　付

⇨テーマ５－１　３．都度申告
(1) 申　告
(2) 納　付

(3) 還付申告

⇨テーマ５－１　４．還付申告

(4) 用語の意義

①　酒類製造者

②　酒類等

2　申告納税方式の意義

⇨テーマ５－１　１．概　要

> 酒税法上の酒税の免税規定の趣旨を説明するとともに、酒税の免除を受けようとした酒類を運搬中に亡失したときの酒税法上の取扱いを述べなさい。
> ただし、輸出免税に関する事項については、説明を要しない。
> （第40回・平成２年度改題）

１　酒税の免税規定の趣旨

(1)　未納税移出

⇨テーマ３－１　趣　旨

(2)　未納税引取

⇨テーマ３－２　趣　旨

２　酒税の免除を受けようとした酒類を運搬中に亡失したときの酒税法上の取扱い

(1)　未納税移出

①　原則手続

②　亡失手続

⇨テーマ３－１　２．未納税移出をした酒類製造者の手続
(1)　原則手続　(3)　亡失手続

(2)　未納税引取

①　原則手続

②　亡失手続

⇨テーマ３－２　２．手続等
(1)　原則手続　(2)　亡失手続

(3)　用語の意義

酒類製造者

過去本試験理論問題

甲は、A及びBの両製造場においてブランデーの製造免許を受け（他の酒類の製造免許は受けていない。）、ぶどう及び水を原料として発酵させたアルコール含有物を蒸留したものに、当該製造場において製造したスピリッツ（ぶどう及び水を原料として発酵させたアルコール含有物を蒸留したもの）及び水を加え、ブランデーを製造している。ところで、B製造場の酒類の製造免許については酒税法第７条第４項の規定により期限が付されているが、この期限が経過するときまでには当該ブランデーの製造が完了しないで、原料品（ぶどう及び水を原料として発酵させたもので主発酵が終わる前のもの（アルコール分１度以上）及びスピリッツ）が現存することになる見込みである。

以上のような状況にあるB製造場の当該期限が経過する前後における酒類等の製造、移出又は処分及び酒税の申告・納付に関する酒税法の取扱いについて述べなさい。

（第41回・平成３年度改題）

1　期限が経過する前の酒税法の取扱い

(1) 原料用酒類の製造

酒類製造者が、その製造免許を受けた製造場において、その酒類の原料とするため製造する酒類については、製造免許を要しない。

(2) 原料用酒類の移出

酒類製造者が製造免許を受けないで製造した原料用酒類をその製造場から移出しようとするときは、その製造場の所在地の所轄税務署長の承認を受けなければならない。

ただし、酒類製造者が自己の他の酒類製造場において製造免許を受けている酒類の原料（移出する製造場において製造免許を受けている酒類と同一の品目の酒類の原料とする場合に限る。）とするための酒類で、かつ、未納税移出の規定の適用を受けて移出する場合については、この限りでない。

(3) もろみの製造

酒類製造者が、その製造免許を受けた製造場において、その酒類の製造の用に供するため製造するもろみについては、製造免許を要しない。

(4) もろみの処分又は移出

もろみの製造者は、もろみを処分し、又はその製造場から移出しようとするときは、その製造場の所在地の所轄税務署長の承認を受けなければならない。

ただし、酒類製造者が、その製造免許を受けた製造場において、その酒類の製造の用に供するため、もろみを使用する場合には、この限りでない。

(5) 酒税の申告・納付

① 月例申告

酒類製造者は、その製造場ごとに、毎月（その製造場からの移出がない月を除く。）、次に掲げる事項を記載した申告書を、翌月末日までに、その製造場の所在地の所轄税務署長に提出しなければならない。

イ　税率の適用区分及びその区分ごとの課税標準たる数量
ロ　免税の規定の適用を受けようとする数量
ハ　課税標準数量
ニ　酒税額及びその酒税額の合計額
ホ　控除税額
ヘ　差引納付税額
ト　控除不足額
チ　その他一定の事項

② 納　付

①の規定による申告書を提出した酒類製造者は、その申告に係る酒類をその酒類製造者の製造場から移出した日の属する月の末日から２月以内に、その申告書に記載した酒税額に相当する酒税を国に納付しなければならない。

2　期限が経過した後の酒税法の取扱い

(1) 酒類の製造

① 酒類の製造免許に付された期限が経過した場合において、その製造場に半製品又は酒類が現存するときは、税務署長は、その期限を付された製造免許を与えられていた者の申請により、期間を指定し、その酒類の製造又は販売を継続させることができる。

② ①の場合においては、その酒類の処分又はその製造場からの移出が完了し、及びその酒税が完納されるまでの間は、その者を酒類製造者とみなして、酒税法を適用する。

(2) 酒類の移出又は処分

① 必要な行為の継続の規定の適用を受けていない場合

酒類の製造免許に付された期限が経過した場合において、その消滅した製造免許に係る酒類がその製造場に現存するときは、その期限が経過した時にその酒類をその製造場から移出したものとみなす。

② 必要な行為の継続の規定の適用を受けている場合

その消滅した酒類の製造免許に係る酒類がその製造場に現存する場合において、その期限の経過と同時に必要な行為の継続の規定による酒類の販売の継続を認められたとき（半製品について酒類の製造の継続を認められたときを含む。）は、その製造場に現存する酒類は、その製造場から移出したものとはみなされないため、製造場移出時課税の原則に基づき、移出の都度納税義務が成立することになる。

(3) 酒税の申告・納付

① 必要な行為の継続の規定の適用を受けていない場合

イ 都度申告

酒類製造者は、(2)①に該当するときは、既にその製造場から移出した酒類（既に月例申告の規定により申告をした酒類を除き、移出したものとみなされた酒類を含む。）について1(5)①に掲げる事項を記載した申告書を、その該当することとなった日から10日を経過する日までに、その製造場の所在地の所轄税務署長に提出しなければならない。

ロ 納　付

イの規定による申告書を提出した酒類製造者は、その申告書の提出期限内に、その申告書に記載した酒税額に相当する酒税を国に納付しなければならない。

② 必要な行為の継続の規定の適用を受けている場合

1(5)①に掲げる月例申告書を提出し、その申告書に記載した酒税額に相当する酒税を国に納付しなければならない。

3 用語の意義

酒類製造者とは、酒類の製造免許を受けた者をいう。

(MEMO)

過去本試験理論問題

> 酒税法第43条のみなし製造の規定の趣旨及び混和の意義を説明するとともに、同規定が適用されない場合（同条第１項ただし書の規定により製造とみなされない場合及び同法施行規則第13条第８項の規定により酒類の保存のための混和で製造とみなされない場合を除く。）を挙げ、その要件を述べなさい。
>
> （第42回・平成４年度）

1　みなし製造の規定の趣旨

⇨テーマ６－１　趣　旨

2　混和の意義（解通43①関係１）

混和とは、酒類に他物を投入することにより、酒質に変化を来させる行為をいう。したがって、酒類に木片等を投入しこの成分を浸出させる行為は混和となるが、木製の樽等に酒類を貯蔵することにより、樽の成分が自然に浸出した場合又は金ぱく等の成分の浸出がないものを投入した場合は、混和とはならない。

3　みなし製造の規定が適用されない場合

(1) 消費の直前に混和する場合
(2) 自家用梅酒等を製造する場合
(3) みなし製造の規定の適用除外の特例

⇨テーマ６－１　４．酒場、料理店等及び消費者に対するみなし製造の規定の適用除外
(2) 消費の直前に混和する場合
(3) 自家用梅酒等を製造する場合
(4) みなし製造の規定の適用除外の特例

(MEMO)

過去本試験理論問題

> 甲（法人）は、A製造場において清酒の製造免許を、B製造場においてウイスキーの製造免許をそれぞれ受けているほか、C倉庫において酒類の蔵置場の設置許可（「蔵置する酒類は清酒に限る。」との条件が付けられている。）を受けている。
>
> 甲は、A製造場から清酒（720mℓ瓶入り）を、B製造場からウイスキー（750mℓ瓶入り）をそれぞれ自社のD倉庫に課税移出し、ここで、当該清酒1本とウイスキー1本を贈答用化粧箱詰品に改装して、乙（酒類販売業者）に販売した。その後、乙は、当該化粧箱詰品が売れ残ったことから、化粧箱詰品をすべて解体し、清酒とウイスキーを単品にして販売している。
>
> ところで、乙から化粧箱詰品を解体した清酒の単品を返品したいとの申し出があることから、甲は、当該清酒をいったんC倉庫に受け入れし、その後、当該清酒をB製造場に移送したいと考えている。
>
> ついては、酒税法上の税額控除規定の趣旨及び税額控除が認められるときの要件を説明した上で、上記の事例の場合の税額控除の取扱いについて述べなさい。　（第43回・平成5年度）

1　税額控除規定の趣旨

⇨テーマ4－1　趣　旨

2　税額控除が認められるときの要件

(1) 戻入れ控除
　① 本来の戻入れ控除
　② みなし規定による戻入れ控除
(2) 再移出控除及び原料使用控除
(3) 酒税額の還付
(4) 酒類を廃棄した場合の戻入れ控除
(5) 手　続
(6) 相続等又は合併の場合の戻入れ控除
(7) 用語の意義
　酒類製造者

⇨テーマ４－１　１．戻入れ控除

(1) 本来の戻入れ控除

(2) みなし規定による戻入れ控除

２．再移出控除及び原料使用控除

３．酒税額の還付

４．酒類を廃棄した場合の戻入れ控除

５．手　続

６．相続等又は合併の場合の戻入れ控除

７．用語の意義

酒類製造者

３　上記の事例の場合の税額控除の取扱い

Ａ製造場から課税移出された清酒が、Ｃ倉庫を経由してＢ製造場に移入されることになるが、Ｃ倉庫が酒類の製造免許を受けた製造場とみなされた場合であったとしても、Ｃ倉庫に受け入れをした時点においては、みなし規定による戻入れ控除の適用はなく、Ｂ製造場に移入された時点において、みなし規定による戻入れ控除の適用がある。この場合において、その移入したＢ製造場をその酒類の移出に係るＡ製造場と、その移入を戻入れと、それぞれみなして、本来の戻入れ控除を適用する。

【図　解】

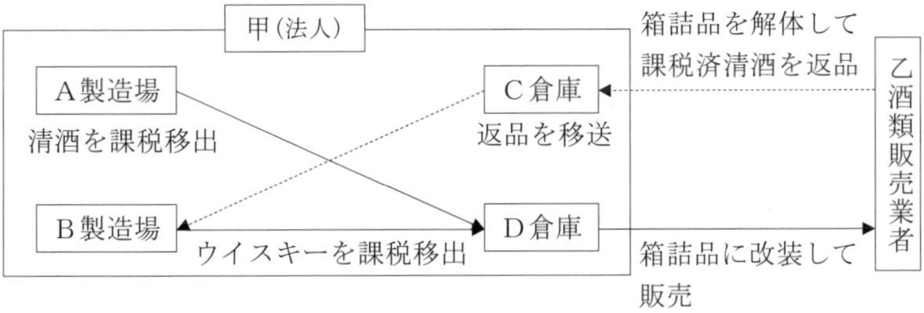

過去本試験理論問題

> 酒場経営者A（自然人であって法人ではない。）及び消費者Bが、それぞれ酒類に他の物品を混和した場合において、混和後のものが酒類であっても、新たに酒類を製造したものとみなされない場合があるが、この場合の要件及び当該規定が置かれている趣旨について述べなさい。　（第44回・平成６年度）

１　要　件

(1) 消費の直前に混和する場合

(2) 自家用梅酒等を製造する場合

(3) みなし製造の規定の適用除外の特例

⇨テーマ６－１　４．酒場、料理店等及び消費者に対するみなし製造の規定の適用除外

(2) 消費の直前に混和する場合

(3) 自家用梅酒等を製造する場合

(4) みなし製造の規定の適用除外の特例

２　趣　旨

⇨テーマ６－１　４．酒場、料理店等及び消費者に対するみなし製造の規定の適用除外

(1) 趣　旨

> 酒税法においては、納税義務の成立した酒税について、一定の条件のもとにその納税の義務を免除することとしている。酒税の免税のうち、未納税移出及び未納税引取について、その趣旨を説明し、適用される例をそれぞれ3つ挙げなさい。　　　　（第45回・平成7年度）

1　趣　旨

(1) 未納税移出

⇨テーマ3－1　趣　旨

(2) 未納税引取

⇨テーマ3－2　趣　旨

2　適用される例

(1) 未納税移出

適用要件

①

②

③

⇨テーマ3－1　1．適用要件を書き、次の具体例のうち3つ書く。

(1) 事後申告制度によって未納税移出をすることができる場合

(2) 事前承認制度によって未納税移出をすることができる場合

(2) 未納税引取

適用要件

①

②

③

⇨テーマ3－2　1．適用要件を書き、4つの具体例のうち3つを書く。

(3) 用語の意義

①　酒類製造者

②　輸出業者

酒母又はもろみに関する次の事項について、それぞれ説明しなさい。
1　酒税法上の酒母及びもろみの定義
2　酒母又はもろみ（アルコール分１度以上のものに限る。）がその製造場内において飲用された場合における酒税法上の取扱いとその趣旨　（第46回・平成８年度）

1　酒税法上の酒母及びもろみの定義

(1) 酒　母

酒母とは、酵母で含糖質物を発酵させることができるもの及び酵母を培養したもので含糖質物を発酵させることができるもの並びにこれらにこうじを混和したもの（製薬用、製パン用、しょうゆ製造用その他酒税の保全上支障がないものとしてみそ製造用に供せられるものを除く。）をいう。

(2) もろみ

もろみとは、酒類の原料となる物品に発酵させる手段を講じたもの（酒類の製造の用に供することができるものに限る。）でこし又は蒸留する前のもの（こさない又は蒸留しない酒類に係るものについては、主発酵が終る前のもの）をいう。

2　酒母又はもろみがその製造場内において飲用された場合における酒税法上の取扱いとその趣旨

(1) 製造者の責めに帰することができる製造場内飲用

①　移出とみなす場合

酒母又はもろみが酒母又はもろみの製造場において飲用された場合において、その飲用につき、その製造者の責めに帰することができるときは、その飲用の時にその酒母又はもろみをその製造場から移出したものとみなす。

②　酒類の製造免許を受けている製造場内において飲用された場合における申告及び納付

イ　月例申告

酒類製造者は、その製造場ごとに、毎月（その製造場からの移出がない月を除く。）、次に掲げる事項を記載した申告書を、翌月末日までに、その製造場の所在地の所轄税務署長に提出しなければならない。

(イ) 税率の適用区分及びその区分ごとの課税標準たる数量

(ロ) 免税の規定の適用を受けようとする数量

(ハ) 課税標準数量

(ニ) 酒税額及びその酒税額の合計額

(ホ) 控除税額

(ヘ) 差引納付税額

(ト) 控除不足額

(チ) その他一定の事項

ロ　納　付

イの規定による申告書を提出した酒類製造者は、その申告に係る酒類をその酒類製造者の製造場から移出した日の属する月の末日から２月以内に、その申告書に記載した酒税額に相当する酒税を国に納付しなければならない。

③　酒類の製造免許を受けていない製造場内において飲用された場合における申告及び納付

イ　都度申告

酒類製造者（酒母又はもろみの製造者でその他の醸造酒の製造者とみなされた者を含む。）は、酒母又はもろみの製造場（酒類の製造免許を受けた製造場を除く。）において酒母又はもろみが飲用された場合において、その飲用につき、その製造者の責めに帰することができるときは、既にその製造場から移出した酒類（既に月例申告の規定により申告をした酒類を除き、移出したものとみなされた酒類等を含む。）について②イに掲げる事項を記載した申告書を、その該当することとなった日から10日を経過する日までに、その製造場の所在地の所轄税務署長に提出しなければならない。

ロ　納　付

イの規定による申告書を提出した酒類製造者は、その申告書の提出期限内に、その申告書に記載した酒税額に相当する酒税を国に納付しなければならない。

(2) 製造者の責めに帰することができない製造場内飲用

①　移出等とみなす場合

酒母又はもろみが酒母又はもろみの製造者の製造場において飲用された場合において、その飲用につき、その製造者の責めに帰することができないときは、その飲用者をその酒母又はもろみに係る酒母又はもろみの製造者とみなし、その飲用者が飲用の時にその酒母又はもろみをその製造場から移出したものとみなす。

②　徴　収

①に規定する酒類に係る酒税は、①に規定する酒類の製造場の所在地の所轄税務署長が、直ちにその酒税を徴収する。

(3) その他の醸造酒等とみなす場合

酒母又はもろみについて(1)①又は(2)①の規定の適用があった場合においては、その酒母又はもろみは、その他の醸造酒とみなし、酒母又はもろみの製造者（酒母又はもろみの製造者とみなされた者を含む。）は、その他の醸造酒の製造者とみなす。

(4) 納税地

酒税の納税地は、製造場から移出した酒類に係るものについては、その製造場の所在地とする。

(5) 趣　旨

酒類の必須原料である酒母又はもろみは、酒類の製造過程における中間製成物であり、本来酒税の課税対象ではないが、酒類として完成するに至らない時点で飲用されてしまうと酒税を課税する機会を逸してしまうことになる。また、もろみは濁酒そのものということもでき、酒類と同様の効果を期待して飲用されるため、酒類との課税の公平を図る見地から、その他の醸造酒とみなして納税義務を成立させることにしている。

なお、外部からの不法侵入者等により製造場内で酒母又はもろみが飲用された場合には、納税義務の関係を区分し、酒母又はもろみの製造者に不当な責任及び負担がかからないように考慮している。

(6) 用語の意義

①　酒類製造者とは、酒類の製造免許を受けた者をいう。

②　酒類等とは、酒類又は酒母もしくはもろみをいう。

酒税法の規定による酒税の納期限の延長について、その趣旨及び効果について説明するとともに、納期限の延長が認められる場合の要件について述べなさい。　（第47回・平成９年度）

1　趣旨及び効果

⇨テーマ５－３　趣　旨

2　納期限の延長が認められる場合の要件

⇨テーマ５－３　１．内　容

(1) 移出酒類

(2) 引取酒類

① 特例申告者以外の者

② 特例輸入者

③ 特例委託輸入者

２．用語の意義

(1) 酒類製造者

(2) 特例申告者

過去本試験理論問題

> 酒税法において、納税の担保の規定が設けられている趣旨を述べるとともに、どのような場合に担保の提供に代えて酒類の保存を命ずることができるか説明しなさい。
> また、酒類製造者が酒税法第12条第5号《酒税法の規定により命ぜられた担保の提供又は酒類の保存をしない場合》の規定に基づき全ての酒類の製造免許が取り消された場合において、
> ① 当該製造場に酒類が現存する（半製品は現存しない。）ときの酒税の申告、納付に関する酒税法の取扱いとその趣旨
> ② 当該製造場から移出した酒類が当該製造場であった場所に戻入れられたときの税額控除等に関する酒税法の取扱いとその趣旨
> について、それぞれ述べなさい。 （第48回・平成10年度）

1　納税の担保の規定が設けられている趣旨

酒類に課されている酒税は高率であり、その税額は我が国の租税収入の中でも重要な地位を占めていることから、国税庁長官等は、酒類製造者の資産、信用又は経営事情等を考慮して、酒税の保全のための必要があると認めるときは、その酒類製造者の意思の如何を問わず、担保の提供又は酒類の保存を命ずることができる。そして、万一その酒類製造者が酒税を滞納した場合には、提供を受けている担保又は保存酒類を処分することにより、酒税の保全を図ることにしている。

2　担保の提供に代えて酒類の保存を命ずることができる場合

国税庁長官等は、酒税の保全のため必要があると認めるときは、酒類製造者に対し、金額及び期間を指定し、酒税につき担保の提供を命ずることができる。

この場合において、提供すべき担保がないとき、又は酒類製造者の申請があったときは、担保の提供に代え、納税の担保として酒類の保存を命ずることができる。

3　酒類の製造免許が取り消された場合において、当該製造場に酒類が現存するときの酒税の申告、納付に関する酒税法の取扱いとその趣旨

(1) 都度申告

酒類製造者は、酒類の製造免許が強制的に取り消された場合において、その取り消された製造免許に係る酒類がその製造場に現存するときは、既にその製造場から移出した酒類（既に月例申告の規定により申告をした酒類を除き、移出したものとみなされた酒類を含む。）について次に掲げる事項を記載した申告書を、その該当することとなった日から10日を経過する日までに、その製造場の所在地の所轄税務署長に提出しなければならない。

① 税率の適用区分及びその区分ごとの課税標準たる数量
② 免税の規定の適用を受けようとする数量
③ 課税標準数量
④ 酒税額及びその酒税額の合計額
⑤ 控除税額
⑥ 差引納付税額
⑦ 控除不足額
⑧ その他一定の事項

(2) 納　付

(1)の規定による申告書を提出した酒類製造者は、その申告書の提出期限内に、その申告書に記載した酒税額に相当する酒税を国に納付しなければならない。

(3) 納税地

酒税の納税地は、製造場から移出した酒類に係るものについては、その製造場の所在地とする。

(4) 趣　旨

酒類の製造免許が強制的に取り消され、その製造免許の効力が消滅した場合には、酒税法上の酒類製造者及び製造場は存在しないことになり、製造場に現存する酒類は、国内消費市場に存在する酒類と変わらない状態になる。そこで、製造場からの移出そのものではないが、製造場における酒類の現存を移出とみなして酒税の納税義務を成立させた上で、酒税の確保を早急に図る見地から、都度申告の対象にしている。

4　当該製造場から移出した酒類が当該製造場であった場所に戻入れられたときの税額控除等に関する酒税法の取扱いとその趣旨

(1) 酒類を廃棄した場合の戻入れ控除

酒類製造者が、その製造場から移出した酒類を、その製造の廃止後（必要な行為の継続の規定の適用により、酒類製造者とみなされる期間が経過した後に限る。）その製造場であった場所に戻し入れた場合において、その製造場であった場所の所在地の所轄税務署長の承認を受けてその酒類を廃棄したときは、本来の戻入れ控除又は酒税額の還付の規定に準じてその移出により納付された、又は納付されるべき酒税額に相当する金額を控除し、又は還付する。

(2) 酒税額の還付

上記の場合において、控除を受けるべき月の納税申告書に酒税額の控除不足額の記載があるとき、又は還付申告書の提出があったときは、それぞれ、その不足額又はその申告書に記載された還付を受ける金額に相当する金額を還付する。

(3) 手　続

上記の規定による控除又は還付を受けようとする者は、その控除又は還付に係る納税申告書又は還付申告書にその控除又は還付を受けようとする酒税額に相当する金額の計算に関する書類を添付しなければならない。

(4) 趣　旨

本来は、酒類製造場でなくなった場所に酒類が戻し入れられても、酒税額を控除し又は還付する必要はないが、消費の対象にならないことが明らかな酒類に対して、酒税を課したままにしておくことは、消費税の本質に反することにもなるため、所轄税務署長の承認を受けて廃棄した場合に限り、その税額を控除し、又は還付することにしている。

5　用語の意義

(1) 国税庁長官等とは、国税庁長官、国税局長又は税務署長をいう。

(2) 酒類製造者とは、酒類の製造免許を受けた者をいう。

（MEMO）

酒母又はもろみの製造者が酒母又はもろみを処分し、又はその製造場から移出しようとするときは、その製造場の所在地の所轄税務署長の承認を受けなければならないこととされているが、

1　所轄税務署長の承認を受けなければならないとしている趣旨について述べなさい。

2　所轄税務署長の承認を要さないで、処分又は移出することができる場合を列挙するとともに、それぞれの趣旨について述べなさい。

3　所轄税務署長の承認を受けないで（2に該当する場合を除く。）、酒母又はもろみの処分又は移出を行った場合の酒税法の取扱いについて述べなさい。

（第49回・平成11年度）

1　所轄税務署長の承認を受けなければならないとしている趣旨

酒母又はもろみは、それ自体独立して特定の用途に供することも考えられるが、通常は酒類の製造過程における中間製成物というべきものであり、これを自由に処分し、又は移出することを容認してしまうと酒類の密造を誘発するおそれがあるため、酒税法においては、特にこの取締りを厳重にし、これを処分し、又は移出しようとする場合には、所轄税務署長の承認を受けさせることにしている。

2　所轄税務署長の承認を要さないで、処分又は移出することができる場合とその趣旨

(1) 内　容

①　酒類製造者が、その製造免許を受けた製造場において、その酒類の製造の用に供するため、酒母又はもろみを使用する場合。

②　もろみの製造免許を受けた者が、その製造免許を受けた製造場において、そのもろみの製造の用に供するため、酒母を使用する場合。

③　アルコール事業法の規定によりアルコールの製造の許可又は承認を受けた者が、そのアルコールの製造の用に供するため、酒母又はもろみを使用する場合。

④　酢の製造業者が酒母又はもろみを酢の製造に使用する場合。

⑤　酒類製造者又は酒母等の製造者に酒母を譲り渡す場合。

(2) 趣　旨

① (1)①に掲げる酒母又はもろみは、酒類の製造という本来の目的で処分されるものであり、酒類になるまでの製造過程において、酒類製造者が酒税法による特別の取締りを受けることになるため、所轄税務署長の承認を要さないで処分することができることになっている。

② (1)②に掲げる酒母は、もろみの製造という本来の目的で処分されるものであり、もろみになるまでの製造過程において、もろみの製造免許を受けた者が酒税法による特別の取締りを受けることになるため、所轄税務署長の承認を要さないで処分することができることになっている。

③ (1)③に掲げる酒母又はもろみは、アルコールの製造という本来の目的で処分されるものであり、アルコールになるまでの製造過程において、アルコールの製造を行う者がアルコール事業法の適用を受けることになり、酒税の保全上支障がないため、所轄税務署長の承認を要さないで処分することができることになっている。

④ (1)④に掲げる酒母又はもろみは、酒税法上の課税物件ではない酢の製造という本来の目的で処分されるものであり、酒税の保全上支障がないため、所轄税務署長の承認を要さないで処分することができることになっている。

⑤ (1)⑤に掲げる酒母は、酒母を譲り受けた酒類製造者又は酒母等の製造者が、酒類又はもろみの製造という本来の目的で処分するものであり、酒類又はもろみになるまでの製造過程において、酒母を譲り受けた者が酒税法による特別の取締りを受けることになるため、所轄税務署長の承認を要さないで移出することができることになっている。

3　所轄税務署長の承認を受けないで（2に該当する場合を除く。)、酒母又はもろみの処分又は移出を行った場合の酒税法の取扱い

(1) 酒税の徴収

酒母又はもろみの製造者が製造した酒母又はもろみを承認を受けないで処分し、又は製造場から移出した場合には、酒税法の規定に違反したことにより、その酒母又はもろみは、その他の醸造酒とみなし、製造者から、直ちにその酒税を徴収する。

(2) 罰　則

(1)に該当する者は、1年以下の懲役又は50万円以下の罰金に処する。

4　用語の意義

(1) 酒類製造者とは、酒類の製造免許を受けた者をいう。

(2) 酒母等の製造者とは、酒母又はもろみの製造免許を受けた者をいう。

甲（法人）は、千葉県にA製造場、埼玉県にB製造場を有し、A及びBの両製造場において清酒の製造免許を受けている（他の酒類の製造免許は受けていない。）ほか、東京都にC倉庫を有している。 甲は、A製造場からC倉庫に清酒を移出し、C倉庫から酒類販売業者に清酒を移出したが、その後、当該清酒がB製造場に返品された。 ついては、次の場合における酒税法の課税上の手続について述べなさい。 1　A製造場からC倉庫に清酒を移出し、更にC倉庫から酒類販売業者に移出したとき 2　酒類販売業者からB製造場に清酒が返品されたとき　（第50回・平成12年度）

1　A製造場からC倉庫に清酒を移出し、更にC倉庫から酒類販売業者に移出したときの酒税法の課税上の手続

(1)　C倉庫がその所在地の所轄税務署長の許可を受けた蔵置場に該当する場合

A製造場からC倉庫への清酒の移出については、未納税移出の適用があり、C倉庫は清酒の製造免許を受けた製造場とみなされることになる。したがって、製造場とみなされたC倉庫から酒類販売業者に清酒を移出したときは、製造場移出時課税の原則により、移出時に酒税が課されることになり、月例申告により税額が確定する。

①　未納税移出の適用要件

酒類製造者が、自己の他の酒類の蔵置場に移入するための酒類をその酒類の製造場から当該蔵置場（当該蔵置場の設置につき、その蔵置場の所在地の所轄税務署長の許可を受けた蔵置場に限る。）へ移出する場合には、その移出に係る酒税を免除する。

②　未納税移出をした酒類製造者の手続

未納税移出の規定は、移出をした酒類製造者が、その移出をした日の属する月分の納税申告書（期限内申告に限る。以下同じ。）にその酒類が未納税移出酒類に該当すること及びその酒類が所定の移入場所に移入されたことについての明細を記載した書類を添付しない場合には、適用しない。

③　未納税移入をした酒類製造者の手続等

イ　移入者の提出書類

未納税移出をした酒類を所定の移入場所に移入した者は、その酒類の移入の目的、税率の適用区分及びその区分ごとの数量その他一定の事項を記載した書類を、その場所の所在地の所轄税務署長に、その移入をした日の属する月の翌月末日までに提出しなければならない。

ロ　みなし規定

未納税移出をした酒類については、その酒類を移入した場所がその酒類の製造免許を受けた製造場でないときは、これをその酒類の製造免許を受けた製造場とみなす。

④　未納税移出の手続の特例

未納税移出をした酒類の移入場所が、次に掲げる場所に該当する場合において、未納税移出をした酒類製造者が、その酒類につき、その移出をした日の属する月分の納税申告書に未納税移出をした酒類の税率の適用区分及びその区分ごとの課税標準たる数量を記載し、かつ、その酒類が未納税移出酒類に該当すること及びその酒類がその場所に移入されたことについての明細を帳簿により明らかにしているときは、②に規定する書類の添付を要しない。

……未納税移出酒類の移出をした者と移入をした者が同一である場合におけるその移入をした場所

⑤　月例申告

酒類製造者は、その製造場ごとに、毎月（その製造場からの移出がない月を除く。）、次に掲げる事項を記載した申告書を、翌月末日までに、その製造場の所在地の所轄税務署長に提出しなければならない。

イ　税率の適用区分及びその区分ごとの課税標準たる数量

ロ　免税の規定の適用を受けようとする数量

ハ　課税標準数量

ニ　酒税額及びその酒税額の合計額

ホ　控除税額

ヘ　差引納付税額

ト　控除不足額

チ　その他一定の事項

⑥　納　付

⑤の規定による申告書を提出した酒類製造者は、その申告に係る酒類をその酒類製造者の製造場から移出した日の属する月の末日から２月以内に、その申告書に記載した酒税額に相当する酒税を国に納付しなければならない。

(2) C倉庫がその所在地の所轄税務署長の許可を受けた蔵置場に該当しない場合

A製造場からC倉庫への清酒の移出については、未納税移出の適用はなく、製造場移出時課税の原則により、移出時に酒税が課されることになり、月例申告により税額が確定する。

2　酒類販売業者からB製造場に清酒が返品されたときの酒税法の課税上の手続

製造場とみなされたC倉庫からの課税移出の場合及びA製造場からの課税移出の場合のいずれにおいても、みなし規定による戻入れ控除の適用がある。

(1) 戻入れ控除

① 本来の戻入れ控除

酒類製造者がその製造場から移出した酒類をその製造場に戻し入れた場合には、その者がその戻入れの日の属する月（その戻入れの日とその移出の日とが同一の月に属する場合には、その月の翌月）以後に提出期限の到来する納税申告書に記載した酒税額の合計額からその酒類につきその移出により納付された、又は納付されるべき酒税額に相当する金額を控除する。

② みなし規定による戻入れ控除

酒類製造者がその製造場から移出した酒類をその者の他の酒類の製造場に移入した場合には、その移入した製造場をその酒類の移出に係る製造場と、その移入を戻入れと、それぞれみなして、①の規定を適用する。

(2) 酒税額の還付

上記の場合において、控除を受けるべき月の納税申告書に酒税額の控除不足額の記載があるとき、又は還付申告書の提出があったときは、それぞれ、その不足額又はその申告書に記載された還付を受ける金額に相当する金額を還付する。

(3) 手　続

上記の規定による控除又は還付を受けようとする者は、その控除又は還付に係る納税申告書又は還付申告書にその控除又は還付を受けようとする酒税額に相当する金額の計算に関する書類を添付しなければならない。

3　用語の意義

酒類製造者とは、酒類の製造免許を受けた者をいう。

(MEMO)

過去本試験理論問題

> 酒類等（酒類、酒母、もろみ）が酒類等の製造場において飲用された場合又は保税地域において飲用される場合には、酒税法第６条の３の規定により、それぞれ、飲用されたときにその酒類等の製造場から移出された又は飲用されるときに保税地域から引き取るものとみなされる。
>
> ①　この規定が設けられた趣旨について述べなさい。
>
> ②　酒類が、酒類等の製造場において飲用された場合又は保税地域において飲用される場合における酒税法上の取扱いについて述べなさい。
>
> （第51回・平成13年度）

①　この規定が設けられた趣旨

酒税法では、国産酒類については酒類の製造者を、輸入酒類については酒類引取者を酒税の納税義務者とし、それぞれ、酒類を製造場から移出した時又は保税地域から引き取った時をとらえて納税義務を発生させることにしているが、酒類が製造場又は保税地域において飲用された場合には、酒類が製造場外又は保税地域外において消費者により飲用された場合と変わることはないため、製造場からの移出又は保税地域からの引取りそのものではないが、課税の公平の見地から、その飲用を移出又は引取りとみなして納税義務を成立させることにしている。

酒類の必須原料である酒母又はもろみは、酒類の製造過程における中間製成物であり、本来酒税の課税対象ではないが、酒類として完成するに至らない時点で飲用されてしまうと酒税を課税する機会を逸してしまうことになる。また、もろみは濁酒そのものということもでき、酒類と同様の効果を期待して飲用されるため、酒類との課税の公平を図る見地から、その他の醸造酒とみなして納税義務を成立させることにしている。

なお、外部からの不法侵入者等により製造場内で酒類等が飲用された場合には、納税義務の関係を区分し、酒類等の製造者に不当な責任及び負担がかからないように考慮している。

②　酒類が、酒類等の製造場において飲用された場合又は保税地域において飲用される場合における酒税法上の取扱い

１　製造者の責めに帰することができる製造場内飲用

(1) 月例申告

酒類製造者は、その製造場ごとに、毎月（その製造場からの移出がない月を除く。）、次に掲げる事項を記載した申告書を、翌月末日までに、その製造場の所在地の所轄税務署長に提出しなければならない。

① 税率の適用区分及びその区分ごとの課税標準たる数量
② 免税の規定の適用を受けようとする数量
③ 課税標準数量
④ 酒税額及びその酒税額の合計額
⑤ 控除税額
⑥ 差引納付税額
⑦ 控除不足額
⑧ その他一定の事項

(2) 納　付

(1)の規定による申告書を提出した酒類製造者は、その申告に係る酒類をその酒類製造者の製造場から移出した日の属する月の末日から２月以内に、その申告書に記載した酒税額に相当する酒税を国に納付しなければならない。

2　製造者の責めに帰することができない製造場内飲用

当該酒類に係る酒税は、その酒類の製造場の所在地の所轄税務署長が、直ちにその酒税を徴収する。

3　保税地域内飲用

(1) 申告納税方式

① 申　告

イ　関税法に規定する申告納税方式が適用される酒類を保税地域から引き取ろうとする者は、その引取りに係る酒税を免除されるべき場合を除き、次に掲げる事項を記載した申告書を税関長に提出しなければならない。

(イ) 課税標準数量
(ロ) 酒税額及びその酒税額の合計額
(ハ) 控除税額
(ニ) 差引納付税額
(ホ) 控除不足額
(ヘ) その他一定の事項

ロ　イに規定する者がその引取りに係る酒類につき関税法に規定する特例申告を行う場合には、その酒類に係るイの申告書の提出期限は、その酒類の引取りの日の属する月の翌月末日とする。

② 納　付

①の規定による申告書を提出した者は、その申告に係る酒類を保税地域から引き取る時（関税法に規定する特例申告を行う場合にあっては、その申告書の提出期限）までに、その申告書に記載した酒税額に相当する酒税を国に納付しなければならない。

(2) 賦課課税方式

① 申　告

関税法に規定する賦課課税方式が適用される酒類を保税地域から引き取ろうとする者は、その引取りに係る酒税を免除されるべき場合を除き、その引き取る酒類に係る課税標準数量その他一定の事項を記載した申告書を税関長に提出しなければならない。

② 徴　収

保税地域から引き取られる①に規定する酒類に係る酒税は、①の税関長がその引取りの際徴収する。

4　納税地

酒税の納税地は、製造場から移出した酒類に係るものについては、その製造場の所在地とし、保税地域から引き取られる酒類に係るものについては、その保税地域とする。

5　用語の意義

酒類製造者とは、酒類の製造免許を受けた者をいう。

（MEMO）

甲（被相続人）はA製造場においてブランデーの製造免許を、乙（相続人）はB製造場において果実酒及びブランデーの製造免許を有している。このたび、甲の死亡により、乙はA製造場を相続することとなったため、酒税法第19条の製造業の相続等の手続を適法に行い、A製造場においてブランデーの製造免許を受けたものとみなされている。

なお、相続の時点で、A製造場にはブランデーの原料品として製造した果実酒（アルコール分15度）が現存している。

ついては、次の1から3の問に答えなさい。

1　酒税法では、相続があった場合には、相続人は被相続人の申告義務等を承継することとされているが、その趣旨及び承継される義務を述べなさい。

2　相続前に甲がA製造場で製造し課税移出したブランデーが、相続後にB製造場に返品された場合の、B製造場における酒税の取扱いについて述べなさい。

3　乙が、A製造場に現存している果実酒を、B製造場に移出する場合の、未納税移出の可否について述べなさい。

（第52回・平成14年度改題）

1　酒税法では、相続があった場合には、相続人は被相続人の申告義務等を承継することとされているが、その趣旨及び承継される義務

(1)　趣　旨

相続の場合、私法上の債務が承継されることは、民法の規定により明らかであるが、酒税法上の申告及び記帳の義務は必ずしも当然に承継するとは限らない。そこで、酒税法では、被相続人が酒税法上の申告及び記帳の義務を怠っていたときは、相続人は、酒類の製造免許の有無にかかわらず、遅滞なくその義務を履行しなければならないことになっている。これにより、酒類の製造及び流通の全段階を量的及び質的に把握し、酒税の確保を図っている。

(2)　承継される義務

①　月例申告の義務

酒類製造者は、その製造場ごとに、毎月（その製造場からの移出がない月を除く。）、所定の事項を記載した申告書を、翌月末日までに、その製造場の所在地の所轄税務署長に提出しなければならない。

② 都度申告の義務

酒類製造者は、所定の事由に該当するときは、既にその製造場から移出した酒類（既に月例申告の規定により申告をした酒類を除き、一定の場合においては、移出したものとみなされた酒類を含む。）について所定の事項を記載した申告書を、その該当することとなった日から10日を経過する日までに、その製造場の所在地の所轄税務署長に提出しなければならない。

③ その他の申告義務

イ 酒類製造者は、製造場の位置、製造及び貯蔵の設備、製造の開始、休止及び終了並びに製造方法について、その製造場の所在地の所轄税務署長に申告しなければならない。

ロ 酒類製造者は、その年度の酒類の製成及び移出数量、その年度の末日における酒類の所持数量並びにその年度中に酒類をその製造場から移出しなかった場合には、その旨を、その年度の末日の属する月の翌月末日までに、その製造場の所在地の所轄税務署長に申告しなければならない。

④ 記帳義務

酒類製造者は、製造、貯蔵又は販売に関する事実を帳簿に記載しなければならない。

2 相続前に甲がＡ製造場で製造し課税移出したブランデーが、相続後にＢ製造場に返品された場合の、Ｂ製造場における酒税の取扱いについて

(1) 相続の場合の戻入れ控除

相続により酒類の製造場における酒類の製造業を承継した相続人がある場合において、その相続人が、その相続に係る被相続人がその製造場において製造した酒類でその製造場から移出したものを、その製造場に戻し入れたとき又はその相続人の他の酒類の製造場に移入したときは、その者をその移出をした者とみなして、本来の戻入れ控除又はみなし規定による戻入れ控除の規定を適用し、その移出により納付された、又は納付されるべき酒税額に相当する金額を控除する。

(2) 酒税額の還付

上記の場合において、控除を受けるべき月の納税申告書に酒税額の控除不足額の記載があるとき、又は還付申告書の提出があったときは、それぞれ、その不足額又はその申告書に記載された還付を受ける金額に相当する金額を還付する。

(3) 手 続

上記の規定による控除又は還付を受けようとする者は、その控除又は還付に係る納税申告書又は還付申告書にその控除又は還付を受けようとする酒税額に相当する金額の計算に関する書類を添付しなければならない。

3　乙が、A製造場に現存している果実酒を、B製造場に移出する場合の、未納税移出の可否について

乙が、A製造場に現存しているブランデーの原料用酒類である果実酒をB製造場において免許を受けているブランデーの原料とする場合に限り、当該果実酒の移出については、A製造場の所在地の所轄税務署長の承認を受けることなく、未納税移出の適用を受けることができる。

4　用語の意義

(1) 酒類製造者とは、酒類の製造免許を受けた者をいう。

(2) その年度とは、その年の４月１日からその年の翌年３月31日までの間をいう。

(MEMO)

甲（法人）は、A製造場において連続式蒸留焼酎及び単式蒸留焼酎の製造免許を受けているほか、B営業所において酒類販売業免許を受けている（B営業所においては酒類の蔵置場の設置許可を受けていない。）。

甲は、B営業所において、他の酒類製造者が製造し課税移出した単式蒸留焼酎を仕入れて販売しているが、販売先から当該単式蒸留焼酎の返品を受けたため、これをA製造場に移入した。

甲は、当該移入された単式蒸留焼酎に、甲がA製造場で製造した連続式蒸留焼酎を適法に混和し、その後、当該混和後の酒類の一部をB営業所に移出した。

ついては、次の１及び２の問に答えなさい。

1　酒税法では、酒類に水以外の物品（当該酒類と同一の品目に属する酒類を除く。）を混和した場合において、混和後のものが酒類であるときは、新たに酒類を製造したものとみなす場合がある。この新たに酒類を製造したものとみなすこととしている趣旨について述べなさい。

2　A製造場における酒税法の課税上の取扱い及び必要な手続について述べなさい。

（第53回・平成15年度）

1　新たに酒類を製造したものとみなすこととしている趣旨

酒税法では、酒類を17品目に区分して、その製法や性状等により大きく４種類に分類し、原則としてその分類によって税率を定め、各酒類の担税力に応じた従量税率を適用している。また、一旦製造された酒類に他の物品を混和した場合において、その混和後のものが酒類であるときは、次に掲げる理由から、一定の場合を除き、新たに酒類を製造したものとみなして、酒税法を適用することにしている。

(1) 低率の酒税が課された酒類に他の物品を混和して、高率の酒税が課されている酒類を製造することができることになり、酒税負担の均衡を失するばかりでなく、酒税収入の減少をきたすことになる。

(2) 酒類の製造免許を付与する場合には、酒類の品目ごとにその需給事情等をも考慮しながら付与することになっているが、これが無意味になり、酒税法の趣旨に反することになる。

(3) 製造後の酒類に他の物品を混和することを自由に認めてしまうと、厳格に規定している酒類の定義が無意味になる。

2　A製造場における酒税法の課税上の取扱い及び必要な手続

(1) 連続式蒸留焼酎と単式蒸留焼酎を混和した場合

酒税法では、酒類に水以外の物品（その酒類と同一の品目に属する酒類を除く。）を混和した場合において、混和後のものが酒類であるときは、新たに酒類を製造したものとみなすことにしているが、酒類製造者がその酒類の製造場において、連続式蒸留焼酎と単式蒸留焼酎との混和をしたときは、新たに酒類を製造したものとみなされないことになる。

なお、酒類製造者は、連続式蒸留焼酎と単式蒸留焼酎との混和をしようとする場合においては、その製造場の所在地の所轄税務署長の承認を受けなければならない。

(2) 納税義務の成立

酒類の製造者は、その製造場から移出した酒類につき、酒税を納める義務がある。

(3) 月例申告

酒類製造者は、その製造場ごとに、毎月（その製造場からの移出がない月を除く。）、次に掲げる事項を記載した申告書を、翌月末日までに、その製造場の所在地の所轄税務署長に提出しなければならない。

①　税率の適用区分及びその区分ごとの課税標準たる数量

②　免税の規定の適用を受けようとする数量

③　課税標準数量

④　酒税額及びその酒税額の合計額

⑤　控除税額

⑥　差引納付税額

⑦　控除不足額

⑧　その他一定の事項

(4) 納　付

(3)の規定による申告書を提出した酒類製造者は、その申告に係る酒類をその酒類製造者の製造場から移出した日の属する月の末日から２月以内に、その申告書に記載した酒税額に相当する酒税を国に納付しなければならない。

(5) 納税地

酒税の納税地は、製造場から移出した酒類に係るものについては、その製造場の所在地とする。

(6) 再移出控除

① 適用要件

酒類製造者が他の酒類の製造場から移出された酒類を酒類の製造場に移入した場合（戻入れ控除の規定により控除を受けるべき場合を除く。）において、その酒類をその移入した製造場から更に移出したときは、その者がその移出の日の属する月の翌月以後に提出期限の到来する納税申告書（期限内申告に限る。）に記載された酒税額の合計額からその酒類につき当該他の製造場からの移出により納付された、又は納付されるべき酒税額に相当する金額を控除する。

② 酒税額の還付

上記の場合において、控除を受けるべき月の納税申告書に酒税額の控除不足額の記載があるとき、又は還付申告書の提出があったときは、それぞれ、その不足額又はその申告書に記載された還付を受ける金額に相当する金額を還付する。

③ 手　続

上記の規定による控除又は還付を受けようとする者は、その控除又は還付に係る納税申告書又は還付申告書にその控除又は還付を受けようとする酒税額に相当する金額の計算に関する書類を添付しなければならない。

(7) 用語の意義

酒類製造者とは、酒類の製造免許を受けた者をいう。

【図　解】

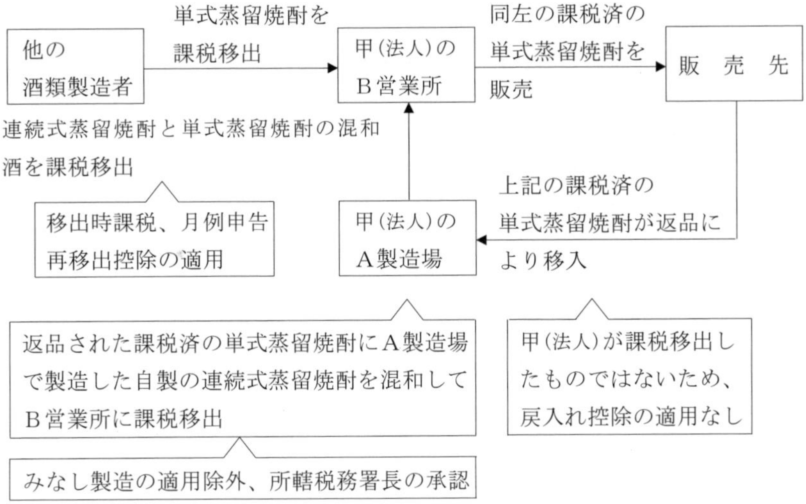

他の
酒類製造者
単式蒸留焼酎を
課税移出
甲(法人)の
B営業所
同左の課税済の
単式蒸留焼酎を
販売
販　売　先
連続式蒸留焼酎と単式蒸留焼酎の混和
酒を課税移出
移出時課税、月例申告
再移出控除の適用
甲(法人)の
A製造場
上記の課税済の
単式蒸留焼酎が返品に
より移入
返品された課税済の単式蒸留焼酎にA製造場
で製造した自製の連続式蒸留焼酎を混和して
B営業所に課税移出
甲(法人)が課税移出し
たものではないため、
戻入れ控除の適用なし
みなし製造の適用除外、所轄税務署長の承認甲（法人）はA製造場及びB製造場において、乙（法人）はC製造場において、それぞれブランデー及び甘味果実酒の製造免許を受けるとともに、酒税法第47条第1項に規定する製造方法の申告を適法に行っている。

甲は、A製造場で製造し、酒類販売業者に課税移出したブランデー1,400本が返品されることとなったため、このうちの800本を酒類販売業者から直接B製造場に移入し、残りの600本を乙に売却して、酒類販売業者から直接C製造場に搬入した。

B製造場では、移入したブランデー800本のうち、400本をB製造場で製造したブランデーと混和して貯蔵し、250本を申告した製造方法に従い甘味果実酒の原料として使用し、150本をそのまま保存した。

C製造場では、搬入されたブランデー600本のうち、300本をC製造場で製造したブランデーと混和して貯蔵し、200本を申告した製造方法に従い甘味果実酒の原料として使用し、100本をそのまま保存した。

ついては、次の1及び2の問に答えなさい。

1　酒税法では、酒類が酒類の製造場に移入される等した場合には、納付された又は納付されるべき酒税額に相当する金額を控除することとしているが、その趣旨について述べるとともに、控除を受けるための手続について説明しなさい。

2　B製造場及びC製造場のそれぞれにおいて、混和して貯蔵し、酒類の原料として使用し又は保存した酒類における、酒税法第30条《戻入れの場合の酒税額の控除等》の適用関係について、事例に則して説明しなさい。

（第54回・平成16年度）

1　税額控除の趣旨と控除を受けるための手続

(1) 趣　旨

製造場から移出され、酒税が課された酒類を品質が低下した等の理由で移出した製造場へ戻し入れた場合には、最初から移出がなかった状態に戻ることになるため、当初課された酒税額を控除することにより、課税原因を消滅させることにしている。また、課税済の酒類が製造場に移入され、その製造場から再び移出された場合又は酒類の原料として使用された場合には、再度酒税が課されることになるため、当初課された酒税額を控除することにより、重複課税を調整している。

(2) 控除を受けるための手続

控除又は還付を受けようとする者は、その控除又は還付に係る納税申告書又は還付申告書にその控除又は還付を受けようとする酒税額に相当する金額の計算に関する書類を添付しなければならない。

2　酒税法第30条《戻入れの場合の酒税額の控除等》の適用関係

(1) B製造場における適用関係

移入したブランデー800本のすべてについて、みなし規定による戻入れ控除の適用がある。

①　本来の戻入れ控除

酒類製造者がその製造場から移出した酒類をその製造場に戻し入れた場合には、その者がその戻入れの日の属する月（その戻入れの日とその移出の日とが同一の月に属する場合には、その月の翌月）以後に提出期限の到来する納税申告書（期限内申告に限る。以下同じ。）に記載した酒税額の合計額からその酒類につきその移出により納付された、又は納付されるべき酒税額に相当する金額を控除する。

②　みなし規定による戻入れ控除

酒類製造者がその製造場から移出した酒類をその者の他の酒類の製造場に移入した場合には、その移入した製造場をその酒類の移出に係る製造場と、その移入を戻入れと、それぞれみなして、①の規定を適用する。

(2) C製造場における適用関係

搬入したブランデー600本のうち、酒税法第47条第1項の規定により申告した製造方法に従い甘味果実酒の原料として使用した200本については、使用した時点において、原料使用控除の適用がある。なお、混和し貯蔵した300本については、混和し貯蔵した時点においては税額控除の適用はない。また、保存した100本についても、保存した時点においては税額控除の適用はない。

・　原料使用控除

酒類製造者が他の酒類の製造場から移出された酒類を酒類の製造場に移入した場合において、その酒類を税務署長に申告した製造方法に従い酒類の原料として使用したときは、その者がその使用の日の属する月の翌月以後に提出期限の到来する納税申告書に記載された酒税額の合計額からその酒類につき当該他の製造場からの移出により納付された、又は納付されるべき酒税額に相当する金額を控除する。

(3) 用語の意義

酒類製造者とは、酒類の製造免許を受けた者をいう。

【図　解】

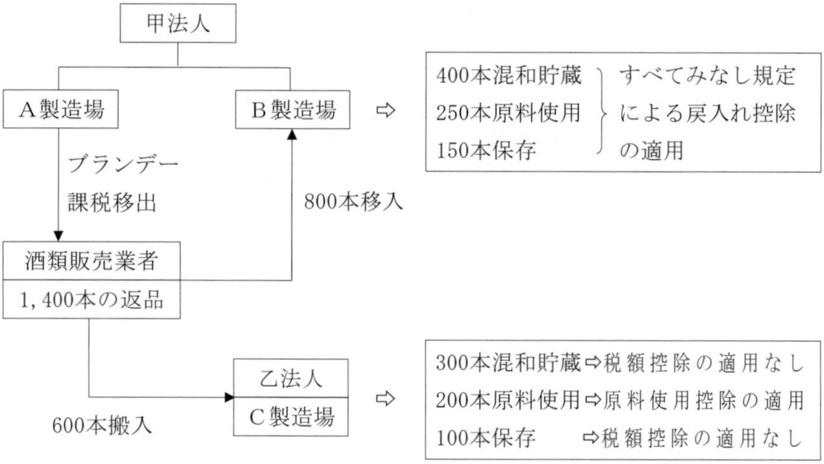

(MEMO)

過去本試験理論問題

甲株式会社（以下「甲社」という。）は、Ａ製造場において清酒の製造免許を受けているほか、Ｂ倉庫において酒類の蔵置場の設置許可を所轄税務署長から受けている。

また、このほかにＣ倉庫（酒税法第47条第４項及び酒税法施行令第54条の２第一号の規定に基づき、所轄税務署長に設置の報告をしている。）を有している。

甲社は、輸出のため、一旦、Ａ製造場からＢ倉庫に清酒200本とＣ倉庫に清酒100本を移出し、そのうちＢ倉庫から清酒150本、Ｃ倉庫から清酒50本を保税地域へ移出した。

ついては、次の各問について答えなさい。

1　酒税法第29条に規定する輸出免税について、その趣旨を述べなさい。

2　酒類製造者が輸出のために酒類を製造場から移出した場合において、酒税の免除を受けるために必要な酒税法上の手続を説明しなさい。

3　Ａ製造場、Ｂ倉庫及びＣ倉庫から移出した酒類に係る酒税の課税関係について、その根拠を示して説明しなさい。

（第55回・平成17年度）

1　輸出免税の趣旨

酒税法の規定は、元来、日本国内において消費される酒類について酒税を課するため設けられている。したがって、酒類が日本国外で消費されるために輸出される場合については、その課税上の取扱いをどうするかという問題が生ずる。これは、仮に、輸出される酒類の酒税を免除しないとすれば、外国に輸出される酒類の酒税額は、輸出酒類の価格の一部を構成することになることから、酒税の金額に応じて輸出価格が高くなり、それだけ輸出が不利になることになる。そこで、国際間の重複課税を回避し、貿易の促進を図る見地から、外国に輸出される酒類に対しては、酒税を免除することにしている。

2　酒税の免除を受けるために必要な酒税法上の手続

(1)　未納税移出をした酒類製造者の手続

①　原則手続

未納税移出の規定は、移出をした酒類製造者が、その移出をした日の属する月分の納税申告書（期限内申告に限る。以下同じ。）にその酒類が未納税移出酒類に該当すること及びその酒類が所定の移入場所に移入されたことについての明細を記載した書類を添付しない場合には、適用しない。

② 延期手続

やむを得ない事情があるため①に規定する書類を①の申告書に添付することができないときは、その書類は、次のそれぞれに掲げる区分に応じ、それぞれに掲げる日までに提出すれば足りるものとする。

イ 酒類製造者が、その書類をその申告書の提出期限から３月以内に提出することを予定している場合において、その予定日をその申告書の提出先の税務署長に届け出たとき。……その予定日

ロ 酒類製造者が、その書類をその申告書の提出期限から３月を経過した日以後に提出することを予定している場合において、その申告書の提出先の税務署長の承認を受けたとき。……その税務署長が指定した日

③ 亡失手続

未納税移出をした酒類を所定の移入場所に移入する前に、災害その他やむを得ない事情により亡失した場合において、その亡失の場所の最寄りの税務署の税務署長に亡失の事実を届け出て、その税務署長から亡失証明書の交付を受けたときは、その証明書は、①に規定する書類に代えて用いることができる。

(2) 未納税移入をした酒類製造者の手続

未納税移出をした酒類を所定の移入場所に移入した者は、その酒類の移入の目的、税率の適用区分及びその区分ごとの数量その他一定の事項を記載した書類を、その場所の所在地の所轄税務署長に、その移入をした日の属する月の翌月末日までに提出しなければならない。

(3) 未納税移出をした酒類製造者の手続の特例

未納税移出をした酒類の移入場所が、次に掲げる場所に該当する場合において、未納税移出をした酒類製造者が、その酒類につき、その移出をした日の属する月分の納税申告書に未納税移出をした酒類の税率の適用区分及びその区分ごとの課税標準たる数量を記載し、かつ、その酒類が未納税移出酒類に該当すること及びその酒類がその場所に移入されたことについての明細を帳簿により明らかにしているときは、(1)①に規定する書類の添付を要しない。

……未納税移出酒類の移出をした者と移入をした者が同一である場合におけるその移入をした場所

(4) 輸出免税をした酒類製造者の手続

輸出免税の規定は、移出をした酒類製造者が、その酒類につきその移出をした日の属する月分の納税申告書にその酒類の税率の適用区分及びその区分ごとの課税標準たる数量を記載し、かつ、その酒類の輸出に関する明細を帳簿に記載する方法により明らかにしている場合に限り、適用する。

上記の酒類製造者は、その酒類につき、次に掲げる区分に応じ、それぞれに定める方法によりその明細を明らかにしなければならない。

① ②以外

輸出許可証等に基づいて、次に掲げる事項を帳簿に記載する方法

イ．その酒類の税率の適用区分及びその区分ごとの数量

ロ．輸出の年月日及び仕向地

ハ．輸出港の所轄税関

ニ．その酒類の輸出をした者がその酒類の酒類製造者以外の者であるときは、その輸出をした者の住所及び氏名又は名称

ホ．その他参考となるべき事項

② その酒類を輸出する前に災害その他やむを得ない事情により亡失した場合

その亡失の場所の最寄りの税務署又は税関の税務署長又は税関長から交付を受けた亡失証明書に基づいて、次に掲げる事項を帳簿に記載する方法

イ．亡失の年月日、時刻、場所及び原因

ロ．亡失した酒類の税率の適用区分、その区分ごとの数量、移出をした年月日、移出先並びに移出をした製造場の所在地及び名称

ハ．その他参考となるべき事項

(5) 用語の意義

酒類製造者とは、酒類の製造免許を受けた者をいう。

3　A製造場、B倉庫及びC倉庫から移出した酒類に係る酒税の課税関係

B倉庫は、清酒の製造免許を受けた製造場とみなされる蔵置場に該当するため、甲社がA製造場からB倉庫に移出した清酒200本については、未納税移出の適用があり、そのうちB倉庫から保税地域に移出した清酒150本については、輸出免税の適用がある。

一方、C倉庫は、清酒の製造免許を受けた製造場とみなされる蔵置場には該当しないため、甲社がA製造場からC倉庫に移出した清酒100本については、未納税移出の適用はなく、製造場移出時課税の原則により、移出時に酒税が課されることになり、そのうちC倉庫から保税地域に移出した清酒50本については、課税関係は生じないことになる。

(MEMO)

過去本試験理論問題

酒税法第28条に規定する未納税移出に関し、以下の問に答えなさい。

1　未納税移出の規定を設けた趣旨を述べなさい。

2　酒類の製造場から移出される酒類に、未納税移出が適用される例（移出の目的及び移出先）を３つ述べなさい。

3　株式会社Ａは、Ｂ製造場及びＣ製造場において清酒の製造免許を受けている。

株式会社Ａは、商品ａ（清酒、アルコール分15度、容器の容量720mℓ）を令和７年１月21日にＢ製造場からＣ製造場に500本移出した。

この500本のうち300本については、輸送する途中で災害に遭い容器が破損し亡失したが、200本については、Ｃ製造場に同日移入した。

移出した500本について、未納税移出が適用されるための必要な手続を述べなさい。

（第56回・平成18年度）

1　未納税移出の規定を設けた趣旨

酒類が製造場から移出されるときは、原則として、酒税の納税義務が発生することになるが、一旦製造場から移出された酒類であっても、直ちにそれが消費面に流れず、他の酒類の原料として使用されるような場合がある。このように、まだ消費のための流通過程に入らない段階において酒税を課税することは、消費税本来の建前から好ましくないため、移出時課税の原則に対して例外規定を設け、酒類を法定の手続に従ってその製造場から移出するときは、その移出した酒類に対する酒税を免除することにしている。

2　未納税移出が適用される例

酒類製造者が、次のそれぞれに掲げる酒類をその酒類の製造場から次のそれぞれに掲げる場所（(2)及び(3)に掲げる酒類の蔵置場については、当該蔵置場の設置につき、その蔵置場の所在地の所轄税務署長の許可を受けた蔵置場に限る。）へ移出する場合には、その移出に係る酒税を免除する。

(1)　酒類製造者が酒類の原料とするための酒類……当該酒類をその原料とする酒類の製造場

(2)　輸出業者が輸出するための酒類……当該酒類の蔵置場

(3) 自己の他の酒類の製造場又は蔵置場に移入するための酒類……当該酒類の製造場又は蔵置場

3　未納税移出が適用されるための必要な手続

Ｂ製造場からＣ製造場に移出した500本のうち、輸送する途中で災害に遭い容器が破損し亡失した300本については、亡失手続により未納税移出が適用され、Ｃ製造場に移入された200本については、原則手続により未納税移出が適用されることになる。

(1) 未納税移出をした酒類製造者の手続

① 原則手続

未納税移出の規定は、移出をした酒類製造者が、その移出をした日の属する月分の納税申告書（期限内申告に限る。以下同じ。）にその酒類が未納税移出酒類に該当すること及びその酒類が所定の移入場所に移入されたことについての明細を記載した書類を添付しない場合には、適用しない。

② 亡失手続

未納税移出をした酒類を所定の移入場所に移入する前に、災害その他やむを得ない事情により亡失した場合において、その亡失の場所の最寄りの税務署の税務署長に亡失の事実を届け出て、その税務署長から亡失証明書の交付を受けたときは、その証明書は、①に規定する書類に代えて用いることができる。

(2) 未納税移入をした酒類製造者の手続

未納税移出をした酒類を所定の移入場所に移入した者は、その酒類の移入の目的、税率の適用区分及びその区分ごとの数量その他一定の事項を記載した書類を、その場所の所在地の所轄税務署長に、その移入をした日の属する月の翌月末日までに提出しなければならない。

(3) 未納税移出をした酒類製造者の手続の特例

未納税移出をした酒類の移入場所が、次に掲げる場所に該当する場合において、未納税移出をした酒類製造者が、その酒類につき、その移出をした日の属する月分の納税申告書に未納税移出をした酒類の税率の適用区分及びその区分ごとの課税標準たる数量を記載し、かつ、その酒類が未納税移出酒類に該当すること及びその酒類がその場所に移入されたことについての明細を帳簿により明らかにしているときは、(1)①に規定する書類の添付を要しない。

……未納税移出酒類の移出をした者と移入をした者が同一である場合におけるその移入をした場所

4　用語の意義

(1) 酒類製造者とは、酒類の製造免許を受けた者をいう。

(2) 輸出業者とは、他から購入した酒類の販売を業とする者で常時酒類の輸出を行うものをいう。

(MEMO)

甲（法人）は、A製造場において清酒の製造免許を受けており、A製造場において製造した清酒の一部を蔵置するB倉庫（酒税法第28条の規定に基づく酒類の蔵置場の設置許可は受けていない。）を有している。

ついては、次の場合における酒税法及び災害被害者に対する租税の減免、徴収猶予等に関する法律における課税（税額の控除を含む。）の取扱い及び手続について説明しなさい。

なお、解答に当たっては、「災害被害者に対する租税の減免、徴収猶予等に関する法律」の記載については「災害減免法」と略記すること。

1．令和7年5月20日、A製造場付近において地震が発生し、製造場内の容器に貯蔵していた酒税の課されていない清酒の一部が流出した。

2．令和7年6月5日、酒類販売業者乙のC販売場において火災が発生し、乙が販売のために所持していた甲から仕入れた酒税の課された清酒の一部が焼失した。

火災のあった一週間後、甲は乙に対して、焼失した清酒の売上代金の半額に相当する損失補償のための給付金を支払った。

なお、乙は甲以外から火災によって受けた損失の補てん金は受領していない。

3．令和7年6月10日、乙から、焼失を免れた甲の清酒についてラベルが汚損していたため、B倉庫に返送があったので、甲は同月17日にA製造場へ現品を戻し入れた。

（第57回・平成19年度）

1　A製造場内の容器に貯蔵していた酒税の課されていない清酒の一部の流出について

(1) 酒税法及び災害減免法の取扱い

A製造場内における清酒の流出は、移出に該当しないため、酒税は課されない。また、A製造場内で流出した清酒については、酒税が課されていないため、災害減免法による税額控除の適用はない。

(2) 届出義務

酒類製造者は、製造場にある酒類が亡失した場合には、直ちにその製造場の所在地の所轄税務署長に届け出なければならない。

2　酒類販売業者乙のC販売場において、火災により焼失した清酒に対する損失補償のための給付金の支払いについて

(1) 災害減免法の取扱い

酒類販売業者乙が販売のために所持していた酒税の課された清酒が火災により焼失した場合において、その被災酒類に対して課された酒税額については、酒類製造者甲が被災酒類を所持していた乙に対して支払った損失補償のための給付金を限度として、災害減免法による税額控除の適用がある。

(2) 災害減免法の取扱い

① 適用要件

酒類の販売業者が販売のために所持する酒類で酒税を課せられたものが災害により亡失し、滅失し、又はその本来の用途に供することができない状態になった場合においては、被災酒類について課せられた酒税額に相当する金額（被災酒類についてその酒類の販売業者が保険金等により損失を補てんされたときは、一定の金額を控除した金額）をその被災酒類に係る酒税の納税義務者がその災害にあった日以後において納付すべき酒税額から控除する。

ただし、その控除すべき金額は、その酒類の販売業者がその納税義務者の負担によりその被災酒類について損失の補償を受けた金額を限度とする。

② 手　続

イ　控除又は還付を受けようとする被災酒類に係る酒税の納税義務者は、災害のやんだ日から4月を経過した日の前日の属する月の末日までに、納税申告書（期限内申告に限る。）又は還付申告書に、その控除又は還付を受けるべき金額の計算に関する明細書及びその被災酒類が災害により亡失し、滅失し、又はその本来の用途に供することができない状態になった事実についての確認書を添付しなければならない。

ロ　イの場合において、被災酒類が亡失し、滅失し、又はその本来の用途に供することができない状態になった時にその被災酒類を所持していた酒類の販売業者がその被災酒類に係る酒税の納税義務者以外の者であるときは、その酒類の販売業者がその納税義務者の負担によりその被災酒類について損失の補償を受けた事実を証する書類をあわせて添付しなければならない。

3　酒類販売業者乙からの清酒の返品について

(1) 戻入れ控除の取扱い

酒類製造者甲のA製造場から課税移出された清酒がB倉庫に返送された時点においては、B倉庫は酒類の製造免許を受けた製造場に該当しないため、みなし規定による戻入れ控除の適用はなく、清酒を課税移出したA製造場に戻し入れられた時点において、本来の戻入れ控除の適用がある。

(2) 本来の戻入れ控除

①　適用要件

酒類製造者がその製造場から移出した酒類をその製造場に戻し入れた場合には、その者がその戻入れの日の属する月（その戻入れの日とその移出の日とが同一の月に属する場合には、その月の翌月）以後に提出期限の到来する納税申告書に記載した酒税額の合計額からその酒類につきその移出により納付された、又は納付されるべき酒税額に相当する金額を控除する。

②　酒税額の還付

上記の場合において、控除を受けるべき月の納税申告書に酒税額の控除不足額の記載があるとき、又は還付申告書の提出があったときは、それぞれ、その不足額又はその申告書に記載された還付を受ける金額に相当する金額を還付する。

③　手　続

上記の規定による控除又は還付を受けようとする者は、その控除又は還付に係る納税申告書又は還付申告書にその控除又は還付を受けようとする酒税額に相当する金額の計算に関する書類を添付しなければならない。

4　用語の意義

(1) 酒類製造者とは、酒類の製造免許を受けた者をいう。

(2) 被災酒類とは、災害により亡失し、滅失し、又はその本来の用途に供することができない状態になった酒類をいう。

(MEMO)

過去本試験理論問題

問１　酒類の製造場から令和７年６月中に移出した酒類に係る酒税の納期限の延長を利用する場合に、酒類製造者が行わなければならない手続について説明しなさい。

問２　保税地域から引き取られる酒類の酒税の納税義務について説明しなさい。

ただし、酒税の申告及び納付の取扱いについて述べる必要はない。

（第58回・平成20年度）

問１　酒類製造者が行わなければならない手続

酒類製造者は、酒類の販売代金が回収されるまでの間、酒税の立替納付をせざるを得なくなることから、次の１から３の手続の要件等を満たすことにより、１月以内、酒税の納期限の延長を認めている。

１　納税申告書の提出期限内の提出

酒類製造者は、次に掲げる事項を記載した申告書を、翌月末日（令和７年７月末日）までに、その製造場の所在地の所轄税務署長に提出しなければならない。

(1) 税率の適用区分及びその区分ごとの課税標準たる数量
(2) 免税の規定の適用を受けようとする数量
(3) 課税標準数量
(4) 酒税額及びその酒税額の合計額
(5) 控除税額
(6) 差引納付税額
(7) 控除不足額
(8) その他一定の事項

２　申請書の提出

納期限の延長を受けようとする酒類製造者は、納期限内（令和７年８月末日）に納期限の延長についての申請書を納税申告書の提出先の税務署長に提出しなければならない。

３　担保の提供

納期限の延長を受けようとする酒類製造者は、納税申告書に記載した酒税額の全部又は一部に相当する担保を提供しなければならない。

４　用語の意義

酒類製造者とは、酒類の製造免許を受けた者をいう。

問２　保税地域から引き取られる酒類の酒税の納税義務

１　原　則

保税地域から引き取られる酒類については、保税地域から引き取った時に酒税の納税義務が成立する。

２　引取りとみなす場合

酒類が保税地域において飲用される場合には、その飲用者が飲用の時にその酒類をその保税地域から引き取るものとみなす。

３　酒税法の規定に違反した場合

輸入した酒類で関税法の規定による輸入の許可を受けないものを所持し、譲り渡し、又は譲り受けた場合には、酒税法の規定に違反したことにより、直ちにその酒税を徴収する。

ただし、没収された酒類には、酒税を課さない。

４　非課税

次に掲げる酒類が保税地域から引き取られる場合には、その酒類には、酒税を課さない。

(1) 食品衛生法の規定により収去される酒類

(2) 医薬品、医療機器等の品質、有効性及び安全性の確保等に関する法律の規定により収去される酒類

(3) 食品表示法の規定により収去される酒類

５　未納税引取

(1) 適用要件

酒類製造者が、次のそれぞれに掲げる酒類を保税地域から次のそれぞれに掲げる場所に引き取ろうとする場合において、納税地の所轄税関長の承認を受けたときは、その引取りに係る酒税を免除する。

①　酒類製造者が酒類の原料とするための酒類

……当該酒類をその原料とする酒類の製造場

②　酒類製造者がその酒類の製造場へ引き取るための酒類（当該酒類製造者が製造した酒類で輸出されたものをその輸出の日から１年以内に引き取るためのものに限る。）……当該酒類の製造場

③　酒類製造者が自己の酒類の製造場へ引き取るための酒類（当該酒類製造者が製造した酒類と混和して更に移出することが明らかなものに限る。）

……当該酒類の製造場

④　酒類製造者が自己の酒類の製造場又は蔵置場へ引き取るための酒類（当該酒類製造者が当該酒類の製造場又は蔵置場で容器に詰めて更に移出することが明らかなものに限る。）……当該酒類の製造場又は蔵置場

(2) 徴　収

未納税引取の承認を受けて引き取った酒類について、税関長の指定した期限内に引取証明書の提出がないときは、直ちにその酒税を徴収する。

6　外航船等に積み込まれた酒類が国内に陸揚げ等された場合

外航船等に積み込まれた酒類が国内に陸揚げ等された場合には、その酒類の所持者が関税法に規定する賦課課税方式が適用される酒類を保税地域から引き取るものとみなして、酒税法を適用する。

7　用語の意義

(1) 酒類製造者とは、酒類の製造免許を受けた者をいう。

(2) 外航船等とは、本邦と外国との間を往来する本邦の船舶又は航空機をいう。

(MEMO)

問１　酒類販売業者Ａ社は酒類の卸売販売業を営んでいるが、今後継続的に酒類の輸出を行うことを考え、酒類製造者Ｂ社が製造している果実酒を購入のうえ輸出した。

ついては、次の事実に関し、Ｂ社がその製造場から移出した果実酒及びＡ社がその蔵置場から移出した果実酒について、それぞれ、酒税の免除を受けるためにＡ社において必要な酒税法上の手続を簡潔に説明しなさい。

(1)　令和７年６月20日、Ｂ社は果実酒1,200本を自己の製造場から移出し、翌日、Ａ社は1,200本を自己の酒類の蔵置場(今回の輸出に際して新たに設置した。）に移入した。

(2)　令和７年７月８日、Ａ社はＢ社から移入した果実酒1,200本を保税地域経由で輸出するために酒類の蔵置場から移出した。なお、保税地域に搬入するまでに果実酒20本が交通事故により亡失したため、翌日、Ａ社は1,180本を輸出した。

問２　税理士であるあなたは、酒類製造者Ｃ社の依頼により、Ｃ社の酒税に関する税務代理、税務書類の作成及び税務相談を行っている。令和７年８月４日、自己が作成したＣ社の酒税納税申告書を見直したところ、次の(1)及び(2)の誤りがあることが分かった。

ついては、これらの誤りを是正する方法（期限の定めがあるものはその期限を含む。）について、その根拠を示して簡潔に説明しなさい。

なお、Ｃ社は、令和６年４月以降の各月においてその製造場から酒類を移出しており、いずれの月分もその法定の期限までに、酒税納税申告書を製造場の所在地の所轄税務署長に提出するとともに酒税を納付している。

おって、解答に当たっては、酒税額の計算及び根拠条文の条名又は項番号の記載は必要ない。

(1) 令和６年４月に製造場から移出した清酒180ℓを令和６年７月中に製造場に戻し入れたが、同月分に係る控除を受けようとする酒税額の計算に当たって、基礎となる税率を１キロリットルにつき９万円としていた。

(2) 令和６年12月に製造場から移出した清酒210ℓを令和７年２月中に製造場に戻し入れたが、同月分に係る控除を受けようとする酒税額の計算に当たって、戻し入れた数量を120ℓとしていた。

（第59回・平成21年度改題）

問１

(1) Ｂ社がその製造場から移出した果実酒1,200本について酒税の免除を受けるために必要なＡ社の手続

① 蔵置場の設置許可の申請

蔵置場の設置について許可を受けようとする者は、一定の事項を記載した申請書をその蔵置場の所在地の所轄税務署長に提出しなければならない。

② 移入者の提出書類

未納税移出をした酒類を所定の移入場所に移入した者は、その酒類の移入の目的、税率の適用区分及びその区分ごとの数量その他一定の事項を記載した書類を、その場所の所在地の所轄税務署長に、その移入をした日の属する月の翌月末日（令和７年７月31日）までに提出しなければならない。

③ 移入者の手続の特例

未納税移出をした酒類の移入場所が、未納税移出をした酒類を継続して移入する場所であり、かつ、その酒類を移入する者が、その場所の所在地の所轄税務署長の承認を受けたときは、②に規定する書類の提出を要しない。

(2) Ａ社がその蔵置場から移出した果実酒1,200本について酒税の免除を受けるために必要なＡ社の手続

Ａ社は、蔵置場から輸出する目的で果実酒1,200本を移出しているが、交通事故により亡失しなかった1,180本については、次に掲げる手続のうち①により、また、保税地域に搬入するまでに交通事故により亡失した20本については、②により、それぞれ輸出免税が適用され、蔵置場からの移出に係る酒税がそれぞれ免除される。

・　手　続

輸出免税の規定は、移出をした酒類製造者が、その酒類につきその移出をした日の属する月分の納税申告書（期限内申告に限る。）にその酒類の税率の適用区分及びその区分ごとの課税標準たる数量を記載し、かつ、その酒類の輸出に関する明細を帳簿に記載する方法により明らかにしている場合に限り、適用する。

上記の酒類製造者は、その酒類につき、次に掲げる区分に応じ、それぞれに定める方法によりその明細を明らかにしなければならない。

①　②以外

輸出許可証等に基づいて、次に掲げる事項を帳簿に記載する方法

イ．その酒類の税率の適用区分及びその区分ごとの数量

ロ．輸出の年月日及び仕向地

ハ．輸出港の所轄税関

ニ．その酒類の輸出をした者がその酒類の酒類製造者以外の者であるときは、その輸出をした者の住所及び氏名又は名称

ホ．その他参考となるべき事項

②　その酒類を輸出する前に災害その他やむを得ない事情により亡失した場合

その亡失の場所の最寄りの税務署又は税関の税務署長又は税関長から交付を受けた亡失証明書に基づいて、次に掲げる事項を帳簿に記載する方法

イ．亡失の年月日、時刻、場所及び原因

ロ．亡失した酒類の税率の適用区分、その区分ごとの数量、移出をした年月日、移出先並びに移出をした製造場の所在地及び名称

ハ．その他参考となるべき事項

問２

(1) 令和６年７月分の誤りを是正する方法

Ｃ社は、令和６年７月分の控除を受けようとする酒税額の計算(戻入控除額の計算)に当たって、清酒の税率を１キロリットルにつき９万円としており、過大申告となるため、令和11年８月31日までに更正の請求をすることができる。

・ 更正の請求（国通法23①）

納税申告書を提出した者は、その申告書に記載した税額の計算が国税に関する法律の規定に従っていなかったこと又はその計算に誤りがあったことにより、その申告に係る納付すべき税額が過大であるときは、その申告に係る法定申告期限から５年以内(令和11年８月31日まで)に限り、税務署長に対し、その申告に係る税額につき更正をすべき旨の請求をすることができる。

(2) 令和７年２月分の誤りを是正する方法

戻入控除は、戻入れの日の属する月以後に提出期限の到来する月例申告書(期限内申告に限る。以下同じ。) で控除することができる。

したがって、Ｃ社は令和７年２月中に210ℓを戻し入れており、令和７年２月以後に提出期限の到来する月例申告書で控除することができるため、令和７年２月分の月例申告書で控除を失念していた90ℓについては、当該事実が判明した令和７年８月４日の属する月以後に提出期限の到来する月例申告書で控除することができる。

過去本試験理論問題

酒類製造者は、その製造場ごとに、移出した酒類の課税標準たる数量、酒税額等を記載した申告書を、移出した月の翌月末日までに、その製造場の所在地の所轄税務署長に提出しなければならないとされている。

ただし、例外的に一定の事由に該当するときは、その事由に該当することとなった日から10日を経過する日までに、既にその製造場から移出した酒類の課税標準たる数量、酒税額等を記載した申告書を、その製造場の所在地の所轄税務署長に提出しなければならないとされている(以下「都度申告」という。)。

ついては、次の各問に答えなさい。

問1　都度申告の規定が設けられている趣旨について述べなさい。

問2　都度申告をする必要がある一定の事由のすべてについて述べなさい。

問3　同月内で、都度申告をする必要がある一定の事由に該当するときまでに製造場から移出した酒類の申告方法について述べなさい。

(第60回・平成22年度)

問1　都度申告の規定が設けられている趣旨

酒類の製造免許の効力が一定の事由により消滅した場合には、酒税法上の酒類製造者及び製造場は存在しないことになり、課税の根拠が失われるばかりでなく、製造場に現存する酒類は、国内消費市場に存在する酒類と変わらない状態になる。そこで、製造場からの移出そのものではないが、製造場における酒類等の現存等を移出とみなして酒税の納税義務を成立させた上で、酒税の確保を早急に図る見地から、都度申告の規定が設けられている。

また、国税庁長官等は、租税債権を確保する見地から、酒類製造者の経営状態の悪化などにより滞納の可能性がある場合には、酒類製造者に対し、金額及び期間を指定し、酒税につき担保の提供を命ずることができ、提供すべき担保がないとき等は、担保の提供に代え、納税の担保として酒類の保存を命ずることができることとされているが、酒類製造者が、指定された期限までに担保の提供又は酒類の保存をしないときは、酒税の確保を早急に図る見地から、都度申告の規定が設けられている。

問２　都度申告をする必要がある一定の事由

都度申告をする必要がある一定の事由とは、以下のとおりである。

１．酒母又はもろみの製造場（酒類の製造免許を受けた製造場を除く。）において酒母又はもろみが飲用された場合において、その飲用につき、その製造者の責めに帰することができるとき。

２．酒類の製造免許に付された期限が経過した場合もしくは酒類等の製造免許が取り消された場合又は酒類等の製造者の相続人につき酒類等の製造免許を受けたものとみなされない場合において、その取り消された又は消滅した製造免許に係る酒類等がその製造場に現存するとき。

ただし、その期限の経過又は申請に基づく製造免許の取消しと同時に必要な行為の継続の規定による酒類の販売の継続を認められた場合を除く。

３．酒類等の製造免許を強制的に取り消された者が必要な行為の継続の規定の適用を受けて酒類等を製成したとき。

４．担保の提供又は酒類の保存を命ぜられた場合において、指定された期限までに担保の提供又は酒類の保存をしないとき。

・　用語の意義

酒類等とは、酒類又は酒母もしくはもろみをいう。

問３　同月内で、都度申告をする必要がある一定の事由に該当するときまでに製造場から移出した酒類の申告方法

同月内で、都度申告をする必要がある一定の事由に該当するときまでに製造場から移出した酒類については、移出した月の翌月末日までに所轄税務署長にしなければならない月例申告の申告期限よりも先に都度申告の申告期限が到来することになり、既に月例申告の規定により申告をした酒類には該当しないため、酒税の確保を早急に図る見地から一定の事由に該当することとなった日から10日を経過する日までに都度申告をしなければならない。

酒税法第43条の規定において、酒類に水以外の物品（当該酒類と同一の品目の酒類を除く。）を混和した場合において、混和後のものが酒類であるときは、新たに酒類を製造したものとみなすこととされている（以下「みなし製造」という。）。

ついては、次の各問に答えなさい。

問１　みなし製造の規定の趣旨について述べなさい。

問２　みなし製造の規定が適用されない場合（同法第43条第１項ただし書の規定により酒類を製造したとみなされない場合及び同法施行規則第13条第８項の規定による酒類の保存のための混和で酒類を製造したとみなされない場合を除く。）を挙げ、その要件を述べなさい。

問３　甲は、A製造場（すべての品目の酒類製造免許を受けている。）において、アルコール含有物を連続式蒸留機により蒸留し、水を加えた連続式蒸留焼酎（アルコール分20度）を製造しているが、以下の場合の酒税法の取扱いについて述べなさい。

(1) 上記の連続式蒸留焼酎に分蜜をした砂糖を加えた場合（アルコール分20度、エキス分２度未満、砂糖を加えることにより着色又は着香はない。）

(2) 上記(1)の酒類に連続式蒸留機によって蒸留された原料用アルコール（アルコール分50度）を加えた場合（アルコール分25度、エキス分２度未満）

（第61回・平成23年度）

問１　みなし製造の規定の趣旨

酒税法では、酒類を17品目に区分して、その製法や性状等により大きく４種類に分類し、原則としてその分類によって税率を定め、各酒類の担税力に応じた従量税率を適用している。また、一旦製造された酒類に他の物品を混和した場合において、その混和後のものが酒類であるときは、次に掲げる理由から、一定の場合を除き、新たに酒類を製造したものとみなして、酒税法を適用することにしている。

(1) 低率の酒税が課された酒類に他の物品を混和して、高率の酒税が課されている酒類を製造することができることになり、酒税負担の均衡を失するばかりでなく、酒税収入の減少をきたすことになる。
(2) 酒類の製造免許を付与する場合には、酒類の品目ごとにその需給事情等をも考慮しながら付与することになっているが、これが無意味になり、酒税法の趣旨に反することになる。
(3) 製造後の酒類に他の物品を混和することを自由に認めてしまうと、厳格に規定している酒類の定義が無意味になる。

問２　みなし製造の規定が適用されない場合

(1) 消費の直前に混和する場合

みなし製造の規定は、酒場、料理店その他酒類をもっぱら自己の営業場において飲用に供することを業とする者がその営業場において消費者の求めに応じ、又は酒類の消費者が自ら消費するため、消費の直前において酒類と他の物品（酒類を含む。）との混和をする場合については、適用しない。

(2) 自家用梅酒等を製造する場合

①　みなし製造の規定は、酒類の消費者が自ら消費するため酒類と他の物品（酒類を除く。）との混和をする場合（(1)の規定に該当する場合を除く。）において、次のそれぞれに掲げる事項に該当して行われるときについては、適用しない。

イ　その混和前の酒類は、アルコール分が20度以上のもの（酒類の製造場から移出されたことにより酒税が納付された、もしくは納付されるべき又は保税地域から引き取られたことにより酒税が納付された、もしくは納付されるべきもしくは徴収された、もしくは徴収されるべきものに限る。以下同じ。）であること。

ロ　酒類と混和をする物品は、糖類、梅、その他次に掲げる物品以外の物品であること。

(ｲ) 米、麦、あわ、とうもろこし、こうりゃん、きび、ひえもしくはでん粉又はこれらのこうじ

(ﾛ) ぶどう（やまぶどうを含む。）

(ﾊ) アミノ酸もしくはその塩類、ビタミン類、核酸分解物もしくはその塩類、有機酸もしくはその塩類、無機塩類、色素、香料又は酒類のかす

ハ　混和後新たにアルコール分が１度以上の発酵がないものであること。

②　①の規定の適用を受けた酒類は、販売してはならない。

(3) みなし製造の規定の適用除外の特例

① みなし製造の規定は、酒場、料理店その他酒類を専ら自己の営業場において飲用に供することを業とする者がその営業場において飲用に供するためその営業場において蒸留酒類と他の物品（酒類を除く。）との混和をする場合（酒類の製造免許を受けた者がその製造免許を受けた製造場において当該混和をする場合又は(1)の規定に該当する場合を除く。）において、次のそれぞれに掲げる事項に該当して行われるときについては、適用しない。

イ 混和前の蒸留酒類は、アルコール分が20度以上のものであること。

ロ 蒸留酒類と混和をする物品は、糖類、梅、その他(2)①ロに掲げる物品以外の物品であること。

ハ 混和後新たにアルコール分が１度以上の発酵がないものであること。

② ①の規定の適用を受ける混和は、１年間（４月１日から翌年３月31日までの間をいう。）において当該混和をする蒸留酒類の数量が営業場ごとに１kℓを超えない範囲内で行うものに限るものとする。

③ ①の規定の適用を受けた混和後の酒類は、当該混和をした営業場において飲用に供する場合を除き、譲り渡してはならない。

④ ①の規定の適用を受ける混和をしようとする者は、その混和を開始する日の前日までに所定の事項を記載した申告書を営業場の所在地の所轄税務署長に提出しなければならない。

⑤ ①の規定の適用を受ける混和をする者は、その混和をした蒸留酒類の月ごとの数量を帳簿に記載しなければならない。

(4) 用語の意義

蒸留酒類とは、次に掲げる酒類（アルコール分が10度未満で発泡性を有するものを除く。）をいう。

① 連続式蒸留焼酎 ② 単式蒸留焼酎 ③ ウイスキー

④ ブランデー ⑤ 原料用アルコール ⑥ スピリッツ

問３

(1)について

甲がＡ製造場において本問の連続式蒸留焼酎に分蜜をした砂糖を混和した場合には、新たに酒類を製造したものとみなす。なお、その混和後の酒類は、エキス分が２度未満で、アルコール分が26度未満であり、着色又は着香もないため、連続式蒸留焼酎に該当する。

また、甲は当該連続式蒸留焼酎（砂糖等を加えた連続式蒸留焼酎）を製造しようとする場合には、Ａ製造場の所在地の所轄税務署長の承認を受けなければならない。

⑵について

甲がＡ製造場において⑴の連続式蒸留焼酎（砂糖等を加えた連続式蒸留焼酎）に連続式蒸留機によって蒸留された原料用アルコールを混和した場合には、アルコール分が26度未満であるため、新たに酒類を製造したものとはみなされない。なお、その混和後の酒類は、その混和前の連続式蒸留焼酎とみなす。

また、甲はＡ製造場において⑴の連続式蒸留焼酎（砂糖等を加えた連続式蒸留焼酎）に連続式蒸留機によって蒸留された原料用アルコールを混和しようとする場合には、Ａ製造場の所在地の所轄税務署長の承認を受けなければならない。

酒税法は、酒類がその製造場から移出した時に納税義務が成立することとしている。
また、酒税法第６条の３の規定において、現実に酒類がその製造場から移出されたものではないが、一定の事実に該当する場合には、その該当することとなった時に当該酒類をその製造場から移出したものとみなすこととしている。
ついては、次の場合における、酒税法の取扱い及び当該規定が設けられている趣旨について述べなさい。
問１　酒類が酒類の製造場において飲用された場合
問２　酒類の製造免許が取り消された場合において、当該取り消された製造免許に係る酒類が、その製造場に現存するとき
（第62回・平成24年度）

問１　酒類が酒類の製造場において飲用された場合

１．酒税法の取扱い

(1) 製造者の責めに帰することができる製造場内飲用

①　納税義務の成立

酒類が酒類の製造場において飲用された場合において、その飲用につき、その製造者の責めに帰することができるときは、その飲用の時にその酒類をその製造場から移出したものとみなす。

②　月例申告

酒類製造者は、その製造場ごとに、毎月（その製造場からの移出がない月を除く。）、次に掲げる事項を記載した申告書を、翌月末日までに、その製造場の所在地の所轄税務署長に提出しなければならない。

イ．税率の適用区分及びその区分ごとの課税標準たる数量
ロ．免税の規定の適用を受けようとする数量
ハ．課税標準数量
ニ．酒税額及びその酒税額の合計額
ホ．控除税額
ヘ．差引納付税額
ト．控除不足額
チ．その他一定の事項

③　納　付

②の規定による申告書を提出した酒類製造者は、その申告に係る酒類をその酒類製造者の製造場から移出した日の属する月の末日から２月以内に、その申告書に記載した酒税額に相当する酒税を国に納付しなければならない。

(2) 製造者の責めに帰することができない製造場内飲用

①　納税義務の成立

酒類が酒類製造者の製造場において飲用された場合において、その飲用につき、その製造者の責めに帰することができないときは、その飲用者をその酒類に係る酒類の製造者とみなし、その飲用者が飲用の時にその酒類をその製造場から移出したものとみなす。

②　徴　収

①に規定する酒類に係る酒税は、その酒類の製造場の所在地の所轄税務署長が、直ちにその酒税を徴収する。

(3) 納税地

酒税の納税地は、製造場から移出した酒類に係るものについては、その製造場の所在地とする。

(4) 用語の意義

酒類製造者とは、酒類の製造免許を受けた者をいう。

2．当該規定が設けられている趣旨

酒税法では、国産酒類については酒類の製造者を酒税の納税義務者とし、酒類を製造場から移出した時をとらえて納税義務を発生させることにしているが、酒類が製造場において飲用された場合には、酒類が製造場外において消費者により飲用された場合と変わることはないため、製造場からの移出そのものではないが、課税の公平の見地から、その飲用を移出とみなして納税義務を成立させることにしている。

なお、外部からの不法侵入者等により製造場内で酒類が飲用された場合には、納税義務の関係を区分し、酒類の製造者に不当な責任及び負担がかからないように考慮している。

問２　酒類の製造免許が取り消された場合において、当該取り消された製造免許に係る酒類が、その製造場に現存するとき

１．酒税法の取扱い

酒類の製造免許が強制的に取り消された場合には、下記(1)の酒税法の取扱いが、また、申請に基づいて取り消された場合には、下記(1)又は(2)の酒税法の取扱いがある。

(1) 原　則

①　納税義務の成立

酒類の製造免許が取り消された場合において、その取り消された製造免許に係る酒類がその製造場に現存するときは、その該当することとなった時にその酒類をその製造場から移出したものとみなす。

②　都度申告

酒類製造者は、①に該当するときは、既にその製造場から移出した酒類（既に月例申告の規定により申告をした酒類を除き、移出したものとみなされた酒類を含む。）について上記問１の１(1)②に掲げる事項を記載した申告書を、その該当することとなった日から10日を経過する日までに、その製造場の所在地の所轄税務署長に提出しなければならない。

③　納　付

②の規定による申告書を提出した酒類製造者は、その申告書の提出期限内に、その申告書に記載した酒税額に相当する酒税を国に納付しなければならない。

(2) 酒類の製造免許が申請に基づいて取り消された場合で必要な行為の継続の規定の適用を受けているとき

①　納税義務の成立

酒類の製造免許が申請に基づいて取り消された場合において、その取り消された製造免許に係る酒類がその製造場に現存し、その申請に基づく製造免許の取消しと同時に必要な行為の継続の規定による酒類の販売の継続を認められたときは、その製造場に現存する酒類は、その製造場から移出したものとはみなされないため、製造場移出時課税の原則に基づき、移出の都度納税義務が成立することになる。

②　必要な行為の継続等

イ．酒類の製造免許が申請に基づいて取り消された場合において、その製造場に酒類が現存するときは、税務署長は、その取り消された製造免許を受けていた者の申請により、期間を指定し、その酒類の製造又は販売を継続させることができる。

ロ．イの場合においては、その酒類の処分又はその製造場からの移出が完了し、及びその酒税が完納されるまでの間は、その者を酒類製造者とみなして、酒税法を適用する。

③　月例申告・納付

問１の１(1)②③と同様である。

(3) 納税地

問１の１(3)と同様である。

(4) 用語の意義

酒類製造者とは、酒類の製造免許を受けた者をいう。

2．当該規定が設けられている趣旨

酒類の製造免許が取り消された場合には、酒税法上の酒類製造者及び製造場は存在しないことになり、製造場に現存する酒類は、国内消費市場に存在する酒類と変わらない状態になる。そこで、製造場からの移出そのものではないが、製造場における酒類の現存を移出とみなして酒税の納税義務を成立させた上で、酒税の確保を早急に図る見地から、都度申告の対象にしている。

なお、酒類の製造免許が申請に基づいて取り消された場合において、必要な行為の継続の規定の適用を受けているときは、酒類の製造免許が強制的に取り消された場合とは異なり、酒税の確保を早急に図る必要がないことから、製造場移出時課税の原則に基づき、月例申告の対象にしている。

問１　酒類の製造免許は、一の製造場において製造免許を受けた後１年間に製造しようとする酒類の見込数量が当該酒類につき品目ごとに酒税法第７条第２項各号に定める数量（以下「法定製造数量」という。）に達しない場合には、受けることができないと定められている。

この法定製造数量の規定に関して、次の各問に答えなさい。

１．法定製造数量の規定が設けられている趣旨について述べなさい。

２．清酒の製造免許（輸出用清酒製造免許に該当しない。）を受けた者が、その製造免許を受けた製造場において、みりんを製造しようとする場合の法定製造数量の規定の取扱いについて説明するとともに、その理由について述べなさい。

問２　酒母又はもろみの製造者は、酒母又はもろみを処分し、又はその製造場から移出しようとするときは、その製造場の所在地の所轄税務署長の承認を受けなければならないと定められている。

ついては、当該規定が設けられている趣旨について述べなさい。

（第63回・平成25年度改題）

問１

１．法定製造数量の規定が設けられている趣旨

製造数量の最低限度を設けていないとすると、弱小の酒類製造者が乱立し、限度を超えた販売競争が行われて酒類業界の安定を欠くことになり、酒税の確保に支障が生ずるおそれがある。また、国民の保健衛生上、弱小の酒類製造者に酒類の品質を一定水準以上に保つことを期待することは難しい場合がある。さらに、酒税の検査取締りの上からも手数を要することになる。このような理由から、酒類の製造免許は、製造数量に最低限度を設け、企業として一般的に採算の採れる程度以上の経営規模の者に限ってこれを付与することにし、酒税の確保等に支障が生じないようにしている。

2．法定製造数量の規定の取扱いと理由

(1) 法定製造数量の規定の取扱い

みりんの製造免許は、一の製造場において製造免許を受けた後１年間に製造しようとする酒類の見込数量が10kℓ（みりんの法定製造数量）に達しない場合には、受けることができないが、清酒の製造免許を受けた者が、その製造免許を受けた製造場において、みりんを製造しようとする場合には、法定製造数量の規定は適用されない。

(2) 理　由

清酒の製造免許を受けた者が、その製造免許を受けた製造場において、みりんを製造しようとする場合には、原料について密接な関係（米、米こうじ等の原料が類似している。）を有しており、製造規模等を考慮する必要がないと認められるため、法定製造数量の適用除外とされている。

問２　当該規定が設けられている趣旨

酒母又はもろみは、それ自体独立して特定の用途に供することも考えられるが、通常は酒類の製造過程における中間製成物というべきものであり、これを自由に処分し、又は移出することを容認してしまうと酒類の密造を誘発するおそれがあるため、酒税法においては、特にこの取締りを厳重にし、これを処分し、又は移出しようとする場合には、所轄税務署長の承認を受けさせることにしている。

過去本試験理論問題

> 酒類製造者が、輸出する目的で、酒類をその製造場から移出する場合には、当該移出に係る酒税を免除（以下「輸出免税」という。）すると定められている。
> この輸出免税の規定に関して、次の各問に答えなさい。
> (1) 輸出免税の規定が設けられている趣旨について述べなさい。
> (2) 輸出免税の適用を受けるための要件及びその必要な手続について、具体的に述べなさい。
> (3) 酒類製造者が、日本と米国との間を往来する日本国籍の船舶に、船舶内で使用するための酒類を積込む場合における酒税法の適用について述べなさい。　　　　（第64回・平成26年度）

(1) 輸出免税の規定が設けられている趣旨

酒税法の規定は、元来、日本国内において消費される酒類について酒税を課するため設けられている。したがって、酒類が日本国外で消費されるために輸出される場合については、その課税上の取扱いをどうするかという問題が生ずる。これは、仮に、輸出される酒類の酒税を免除しないとすれば、外国に輸出される酒類の酒税額は、輸出酒類の価格の一部を構成することになることから、酒税の金額に応じて輸出価格が高くなり、それだけ輸出が不利になることになる。そこで、国際間の重複課税を回避し、貿易の促進を図る見地から、外国に輸出される酒類に対しては、酒税を免除することにしている。

(2) 輸出免税の適用を受けるための要件及びその必要な手続

① 要　件

酒類製造者が、輸出する目的で、酒類をその製造場から移出する場合には、その移出に係る酒税を免除する。

なお、「輸出する目的で、酒類をその製造場から移出する場合」とは、法施行地以外の地域に酒類を移出（郵送による場合を含む。）する場合及び外国籍の船舶又は航空機に船用品又は機用品として酒類を積込む場合をいう。

② 必要な手続

輸出免税の規定は、移出をした酒類製造者が、その酒類につきその移出をした日の属する月分の納税申告書（期限内申告に限る。）にその酒類の税率の適用区分及びその区分ごとの課税標準たる数量を記載し、かつ、その酒類の輸出に関する明細を帳簿に記載する方法により明らかにしている場合に限り、適用する。

上記の酒類製造者は、その酒類につき、次に掲げる区分に応じ、それぞれに定める方法によりその明細を明らかにしなければならない。

イ　ロ以外

輸出許可証等に基づいて、次に掲げる事項を帳簿に記載する方法

(イ) その酒類の税率の適用区分及びその区分ごとの数量

(ロ) 輸出の年月日及び仕向地

(ハ) 輸出港の所轄税関

(ニ) その酒類の輸出をした者がその酒類の酒類製造者以外の者であるときは、その輸出をした者の住所及び氏名又は名称

(ホ) その他参考となるべき事項

ロ　その酒類を輸出する前に災害その他やむを得ない事情により亡失した場合

その亡失の場所の最寄りの税務署又は税関の税務署長又は税関長から交付を受けた亡失証明書に基づいて、次に掲げる事項を帳簿に記載する方法

(イ) 亡失の年月日、時刻、場所及び原因

(ロ) 亡失した酒類の税率の適用区分、その区分ごとの数量、移出をした年月日、移出先並びに移出をした製造場の所在地及び名称

(ハ) その他参考となるべき事項

(3) 酒類製造者が、日本と米国との間を往来する日本国籍の船舶に、船舶内で使用するための酒類を積込む場合における酒税法の適用

日本と外国との間を往来する日本国籍の船舶（以下「外航船等」という。）に積み込む酒類については、外国に輸出される酒類そのものではないが、日本国内において消費されるものではないため、外航船等への積込みを輸出とみなして、酒税法を適用することにしている。

①　適用要件

酒類製造者が、外航船等に船用品又は機用品として積み込むため、その積み込もうとする港の所在地の所轄税関長の承認を受けた酒類を、酒類の製造場から移出した場合には、その外航船等への積込みを輸出とみなして、酒税法に規定する輸出免税を適用し、酒税が免除されることになる。

②　手続等

イ　①の承認を受けようとする者は、所定の事項を記載した申請書を税関長に提出しなければならない。

ロ　税関長は、①の申請があった場合において、その申請に係る酒類が、その酒類を積み込もうとする外航船等の航海又は航行の日数並びに旅客及び乗組員の数その他の事情を勘案して相当と認められる数量の範囲内であり、かつ、酒税の取締り上支障がないと認めたときは、その承認をするものとする。

ハ　税関長は、①の承認をする場合には、相当と認められる積込みの期間を指定しなければならない。この場合において、その指定後災害その他やむを得ない理由により必要があると認めるときは、その税関長は、その指定した期間を延長することができる。

ニ　税関長は、①の承認をする場合において、必要があると認めるときは、その承認の申請者に対し、その承認に係る酒類である旨をその酒類の容器又は包装に表示することを命ずることができる。

③　用語の意義

酒類製造者とは、酒類の製造免許を受けた者をいう。

(MEMO)

酒類製造者、酒母等の製造者又は酒類販売業者が行う行為等のうち特定の事項については、所轄税務署長又は所轄税関長から承認を受けなければならないこととされている。

この承認の規定に関して、次の各問に答えなさい。

(1) 酒税法第50条（承認を受ける義務）において、酒類製造者又は酒類販売業者に対して承認を受けなければならない義務を課している趣旨を述べなさい。

(2) 酒類製造者が承認を受けなければならないこととされている行為等について、酒税法第50条（承認を受ける義務）に掲げる場合以外のものについて述べなさい。

なお、租税特別措置法に関しては考慮する必要はない。

(3) 上記(2)で述べた行為等について酒類製造者が承認を受けないで行った場合の効果について述べなさい。（第65回・平成27年度改題）

(1) 酒税法第50条（承認を受ける義務）において、酒類製造者又は酒類販売業者に対して承認を受けなければならない義務を課している趣旨

酒類の品目及び税率は、それぞれの酒類に使用した原料やその製造方法によって区分されている。このようなことから、特定の酒類を製造する等の場合に、酒類製造者の自由にしておいたのでは、酒類の品目及び税率の区分がしにくくなり、酒税法に定める課税の方式を的確に実施し、酒税を確保することが困難になる。また、特定の酒類と酒類とを混和する等の場合においても、これを自由にしておいたのでは、酒税の検査取締り上様々な問題が生ずるおそれがある。そこで、酒類製造者又は酒類販売業者が行う行為等のうち特定の事項については、あらかじめ製造場又は販売場の所在地(酒類販売業者が販売場を設けていない場合には、住所地)の所轄税務署長に申請して承認を受けた上で、その製造等を行わなければならないことになっている。

(2) 酒類製造者が承認を受けなければならないこととされている行為等について、酒税法第50条（承認を受ける義務）に掲げる場合以外のもの

① 原料用酒類の移出

酒類製造者が製造免許を受けないで製造した原料用酒類をその製造場から移出しようとするときは、原則としてその製造場の所在地の所轄税務署長の承認を受けなければならない。

② 酒母又はもろみの処分又は移出

酒類製造者が酒母又はもろみを処分し、又はその製造場から移出しようとするときは、原則としてその製造場の所在地の所轄税務署長の承認を受けなければならない。

③ 酒類に保存のためアルコール等を混和する場合

酒類製造者が、酒類の保存のため、酒類にアルコール又は焼酎を混和しようとする場合(一定の場合を除く。)には、その製造場の所在地の所轄税務署長の承認を受けなければならない。

④ 事前承認制度による未納税移出

酒類製造者が所定の酒類以外の酒類をその酒類の製造場から他の製造場又は蔵置場へ移出する場合において、未納税移出の適用を受けようとするときは、その酒類の製造場の所在地の所轄税務署長の承認を受けなければならない。

⑤ 未納税引取

酒類製造者が所定の酒類を保税地域から所定の場所に引き取ろうとする場合において、未納税引取の適用を受けようとするときは、その保税地域の所在地の所轄税関長の承認を受けなければならない。

⑥ 酒類を廃棄した場合の戻入れ控除

酒類製造者が、その製造場から移出した酒類を、その製造の廃止後(必要な行為の継続の規定により、酒類製造者とみなされる期間が経過した後に限る。)その製造場であった場所に戻し入れた場合において、戻入れ控除等の適用を受けようとするときは、その製造場の所在地の所轄税務署長の承認を受けてその酒類を廃棄しなければならない。

⑦ 保存酒類の変換

酒類の保存をした酒類製造者は、保存する酒類を変換しようとする場合には、その酒類の保存を命じた者の承認を受けなければならない。

(3) 上記(2)で述べた行為等について酒類製造者が承認を受けないで行った場合の効果

① 上記(2)①について

酒類製造者が製造免許を受けないで製造した原料用酒類を所轄税務署長の承認を受けないで製造場から移出した場合(一定の場合を除く。)には、酒税法の規定に違反したことにより、直ちにその酒税が徴収される。

なお、1年以下の懲役又は50万円以下の罰金に処せられる。

② 上記(2)②について

酒類製造者が酒母又はもろみを承認を受けないで処分し、又は製造場から移出した場合(一定の場合を除く。)には、酒税法の規定に違反したことにより、その酒母又はもろみは、その他の醸造酒とみなし、直ちにその酒税が徴収される。

なお、1年以下の懲役又は50万円以下の罰金に処せられる。

③ 上記(2)③について

酒類製造者が、承認を受けないで酒類の保存のため、酒類にアルコール又は焼酎を混和したときは、新たに酒類を製造したものとみなされる。

④ 上記(2)④について

酒類製造者が未納税移出の承認を受けないで所定の酒類以外の酒類をその酒類の製造場から他の製造場又は蔵置場へ移出した場合には、未納税移出の適用はなく、製造場移出時課税の原則に基づき酒税が課税されることになる。

⑤ 上記(2)⑤について

酒類製造者が未納税引取の承認を受けないで酒類を保税地域から引き取った場合には、未納税引取の適用はなく、保税地域引取時課税の原則に基づき酒税が課税されることになる。

⑥ 上記(2)⑥について

酒類製造者が、その製造場から移出した酒類を、その製造の廃止後(必要な行為の継続の規定により、酒類製造者とみなされる期間が経過した後に限る。)その製造場であった場所に戻し入れた場合において、その製造場の所在地の所轄税務署長の承認を受けないでその酒類を廃棄したときは、戻入れ控除等の適用はない。

⑦ 上記(2)⑦について

酒類の保存をした酒類製造者が、その酒類の保存を命じた者の承認を受けないで保存する酒類を変換した場合には、当該変換は認められない。

(4) 用語の意義

① 酒類製造者とは、酒類の製造免許を受けた者をいう。

② 酒類販売業者とは、酒類の販売業免許を受けた者をいう。

【解答への道】

設問２及び設問３に関し、以下の項目についても加点要因となる。

１．未納税移出の延期手続及び手続の特例

２．納税の担保の規定における保存酒類についての承認及び分割による提供又は保存

３．粉末酒の換算係数（１号の換算係数についての承認）

過去本試験理論問題

> 酒税法において、納税義務の成立した酒税について、法定の理由がある場合に一定の条件の下でその酒税が免除される制度がある。
>
> この制度に関して次の各問いに答えなさい。
>
> (1) 酒税法第28条（未納税移出）及び酒税法第28条の３（未納税引取）の制度が設けられている趣旨について述べなさい。
>
> (2) 酒税法第28条の３（未納税引取）の規定を適用するために必要な酒税法上の手続について述べなさい。
>
> (3) 酒税法第28条の３（未納税引取）において、どのような場合に未納税引取の規定の適用を受けることができるか述べなさい。
>
> （第66回・平成28年度）

(1) 酒税法第28条（未納税移出）及び酒税法第28条の３（未納税引取）の制度が設けられている趣旨

① 未納税移出の趣旨

酒類が製造場から移出されるときは、原則として、酒税の納税義務が発生することになるが、一旦製造場から移出された酒類であっても、直ちにそれが消費面に流れず、他の酒類の原料として使用されるような場合がある。このように、まだ消費のための流通過程に入らない段階において酒税を課税することは、消費税本来の建前から好ましくないため、移出時課税の原則に対して例外規定を設け、酒類を法定の手続に従ってその製造場から移出するときは、その移出した酒類に対する酒税を免除することにしている。

② 未納税引取の趣旨

酒類が保税地域から引き取られるときは、原則として、酒税の納税義務が発生することになるが、一旦保税地域から引き取られた酒類であっても、直ちにそれが消費面に流れず、他の酒類の原料として使用されるような場合がある。このように、まだ消費のための流通過程に入らない段階において酒税を課税することは、消費税本来の建前から好ましくないため、引取時課税の原則に対して例外規定を設け、酒類を法定の手続に従って保税地域から引き取るときは、その引き取った酒類に対する酒税を免除することにしている。

(2) 酒税法第28条の３（未納税引取）の規定を適用するために必要な酒税法上の手続

① 原則手続

税関長は、未納税引取の承認を与える場合には、その承認の申請者に対し、相当の期限を指定して、その酒類が所定の引取場所に引き取られたことについてのその場所の所在地の所轄税務署長の証明書を提出すべきことを命じなければならない。

なお、未納税引取の承認を受けて引き取った酒類について、税関長の指定した期限内にその証明書の提出がないときは、直ちにその酒税を徴収する。

② 亡失手続

未納税引取の承認を受けて引き取った酒類を所定の引取場所に移入する前に、災害その他やむを得ない事情により亡失した場合において、その亡失の場所の最寄りの税務署の税務署長に亡失の事実を届け出て、その税務署長から亡失証明書の交付を受けたときは、その証明書は、①に規定する証明書に代えて用いることができる。

(3) 酒税法第28条の３（未納税引取）において、どのような場合に未納税引取の規定の適用を受けることができるか

酒類製造者が、次のそれぞれに掲げる酒類を保税地域から次のそれぞれに掲げる場所に引き取ろうとする場合において、納税地の所轄税関長の承認を受けたときは、その引取りに係る酒税を免除する。

① 酒類製造者が酒類の原料とするための酒類

……当該酒類をその原料とする酒類の製造場

② 酒類製造者がその酒類の製造場へ引き取るための酒類（当該酒類製造者が製造した酒類で輸出されたものをその輸出の日から１年以内に引き取るためのものに限る。）

……当該酒類の製造場

③ 酒類製造者が自己の酒類の製造場へ引き取るための酒類（当該酒類製造者が製造した酒類と混和して更に移出することが明らかなものに限る。）

……当該酒類の製造場

④ 酒類製造者が自己の酒類の製造場又は蔵置場へ引き取るための酒類（当該酒類製造者が当該酒類の製造場又は蔵置場で容器に詰めて更に移出することが明らかなものに限る。）……当該酒類の製造場又は蔵置場

(4) 用語の意義

酒類製造者とは、酒類の製造免許を受けた者をいう。

甲株式会社（以下「甲社」という。）は、A製造場及びB製造場において単式蒸留焼酎の製造免許を受けている。

甲社は、A製造場で製造し、酒類販売業者に販売するために令和７年８月１日に同製造場から課税移出した単式蒸留焼酎500本が返品されることとなったことから、令和７年８月20日、このうちの300本をB製造場に移入した。残りの200本については、子会社である乙株式会社（以下「乙社」という。なお、乙社はC製造場において単式蒸留焼酎及び連続式蒸留焼酎の製造免許を受けている。）に販売することとし、同日、B製造場を経由せずに、酒類販売業者からの直送により乙社C製造場に移入された。

令和７年８月25日、甲社は、同月20日に移入した単式蒸留焼酎のうち200本を、B製造場から酒類販売業者に販売するために課税移出した。

また、令和７年８月26日、乙社は、移入した単式蒸留焼酎の全量に自社で製造した連続式蒸留焼酎を混和し、いわゆる甲乙混和焼酎とした。令和７年９月２日、当該甲乙混和焼酎の全量を酒類販売業者に販売するために移出した。

(1) 甲社B製造場及び乙社C製造場のそれぞれにおいて、移入した単式蒸留焼酎に係る酒税法第30条（戻入れの場合の酒税額の控除等）の適用関係について説明するとともに、それぞれにおいて控除を受ける場合の手続を説明しなさい。

(2) 酒税法第30条（戻入れの場合の酒税額の控除等）において、酒類が酒類の製造場に移入される等した場合の税額控除が規定されている趣旨を説明しなさい。

（第67回・平成29年度）

(1) 甲社Ｂ製造場及び乙社Ｃ製造場のそれぞれにおいて、移入した単式蒸留焼酎に係る酒税法第30条（戻入れの場合の酒税額の控除等）の適用関係と控除を受ける場合の手続

① 甲社Ｂ製造場について

令和７年８月１日に甲社Ａ製造場から課税移出された単式蒸留焼酎500本のうち令和７年８月20日に甲社Ｂ製造場に移入された300本については、みなし規定による戻入れ控除の適用があり、９月以後に提出期限の到来する納税申告書（期限内申告に限る。）等で控除等する。

なお、甲社Ｂ製造場に移入された300本のうち酒類販売業者に令和７年８月25日に課税移出した200本については、戻入れ控除の適用があるため、再移出控除の適用はない。

イ．本来の戻入れ控除

酒類製造者がその製造場から移出した酒類をその製造場に戻し入れた場合には、その者がその戻入れの日の属する月（その戻入れの日とその移出の日とが同一の月に属する場合には、その月の翌月）以後に提出期限の到来する納税申告書（期限内申告に限る。）に記載した酒税額の合計額からその酒類につきその移出により納付された、又は納付されるべき酒税額に相当する金額を控除する。

ロ．みなし規定による戻入れ控除

酒類製造者がその製造場から移出した酒類をその者の他の酒類の製造場に移入した場合には、その移入した製造場をその酒類の移出に係る製造場と、その移入を戻入れと、それぞれみなして、イの規定を適用する。

ハ．酒税額の還付

上記の場合において、控除を受けるべき月の納税申告書に酒税額の控除不足額の記載があるとき、又は還付申告書の提出があったときは、それぞれ、その不足額又はその申告書に記載された還付を受ける金額に相当する金額を還付する。

ニ．控除を受ける場合の手続

上記の規定による控除又は還付を受けようとする者は、その控除又は還付に係る納税申告書又は還付申告書にその控除又は還付を受けようとする酒税額に相当する金額の計算に関する書類を添付しなければならない。

② 乙社C製造場について

令和７年８月１日に甲社A製造場から課税移出された単式蒸留焼酎500本のうち令和７年８月20日に乙社C製造場に移入された200本については、乙社が課税移出したものではないため、戻入れ控除の適用はなく、令和７年８月26日に乙社で製造した連続式蒸留焼酎と混和し、いわゆる甲乙混和焼酎とした時点においても新たな酒類の製造には該当しないため、原料使用控除の適用もない。

なお、令和７年９月２日に当該甲乙混和焼酎を酒類販売業者に移出した時点において再移出控除の適用があり、10月以後に提出期限の到来する納税申告書（期限内申告に限る。）等で控除等する。

イ．再移出控除

酒類製造者が他の酒類の製造場から移出され酒類を酒類の製造場に移入した場合（戻入れ控除の規定により控除を受けるべき場合を除く。）において、その酒類をその移入した製造場から更に移出したときは、その者がその移出の日の属する月の翌月以後に提出期限の到来する納税申告書（期限内申告に限る。）に記載された酒税額の合計額からその酒類につき当該他の製造場からの移出により納付された又は納付されるべき酒税額に相当する金額を控除する。

ロ．酒税額の還付

①ハと同様

ハ．控除を受ける場合の手続

①ニと同様

(2) 酒税法第30条（戻入れの場合の酒税額の控除等）において、酒類が酒類の製造場に移入される等した場合の税額控除が規定されている趣旨

製造場から移出され、酒税が課された酒類を品質が低下した等の理由で移出した製造場へ戻し入れた場合には、最初から移出がなかった状態に戻ることになるため、当初課された酒税額を控除することにより、課税原因を消滅させることにしている。また、課税済の酒類が製造場に移入され、その製造場から再び移出された場合又は酒類の原料として使用された場合には、再度酒税が課されることになるため、当初課された酒税額を控除することにより、重複課税を調整している。

(3) 用語の意義

酒類製造者とは、酒類の製造免許を受けた者をいう。

(MEMO)

酒類製造者甲(以下「甲」という。)は、乙製造場において、全ての品目の酒類の製造免許をその製造場の所轄税務署長から受けている。同社は新製品として、ぶどう果汁1,800ℓ(含有糖分280kg)を原料として発酵させたものに小片状のオークを浸してその成分を浸出させた酒類1,500ℓ(アルコール度数14.0度、エキス分6.8度、発泡性あり、以下「酒類A」という。)、並びに米1,200kg、米こうじ500kg(こうじ米450kg)、水あめ200kg及び水を原料として発酵させ、こした液状部分の酒類4,000ℓ(アルコール分16.0度、エキス分5.0度、発泡性なし、以下「酒類B」という。)を製造することを令和7年4月1日に決定し、同年6月1日から乙製造場において酒類A及び酒類Bの製造を開始した。

その後、酒類Aについては、同年8月1日に小片状のオークを浸してその成分を浸出させる前の状態で腐敗が認められたため、甲は製品化を見送ることとしたが、酒類Bについては、こす前の状態のものを甲の従業員が1ℓ飲用検査したところ、問題は認められなかったため、甲は製品化する予定である。

以上に基づき、次の各問について答えなさい。

1　酒類A及び酒類Bの製造を開始するに当たり、甲が履行しなければならない義務規定について、説明しなさい。

　なお、酒税法第46条(記帳義務)の規定は考慮しなくて良いこととする。また、甲は製造場の設備に関する申告については、既に終えているものとする。

2　酒類Aの小片状のオークを浸してその成分を浸出させる前の状態のものについて、腐敗が認められたことに対し、甲が履行しなければならない義務規定について、説明しなさい。

3　酒類Bのこす前の状態のものについて、外部から不法に侵入した者により乙製造場において飲用された場合における酒税法上の取扱いについて、酒税法に酒類製造者と酒類の製造者を規定している趣旨を踏まえて説明しなさい。

(第68回・平成30年度)

1　酒類Ａ及び酒類Ｂの製造を開始するに当たり、甲が履行しなければならない義務規定

(1) 製造方法等の申告義務

酒類製造者甲は、酒類Ａ(果実酒)及び酒類Ｂ(清酒)の製造の開始の日(令和７年６月１日)までに、製造方法の詳細等を記載した申告書をその製造場(乙製造場)の所在地の所轄税務署長に提出しなければならない。

※　酒類Ａの品目

果実を原料として発酵させたものは、アルコール分が20度未満であるため、果実酒に該当する。

当該果実酒に植物を浸してその成分を浸出させたものは、アルコール分が20度未満であり、植物(オークで小片状のもの)の成分を浸出させているため、果実酒に該当する。

※　酒類Ｂの品目

米、米こうじ及び水を主原料として発酵させてこしたものは、アルコール分が22度未満であり、副原料の重量(200kg)が米の重量の50%((1,200kg＋450kg)×50%＝825kg)を超えていないため、清酒に該当する。

(2) 承認を受ける義務

酒類製造者甲は、商品Ｂ(副原料清酒)を製造しようとするときは、その製造場(乙製造場)の所在地の所轄税務署長の承認を受けなければならない。

2　酒類Ａの小片状のオークを浸してその成分を浸出させる前の状態のものについて、腐敗が認められたことに対し、甲が履行しなければならない義務規定

(1) 酒類製造者甲は、その製造場(乙製造場)にある酒類(果実酒)が腐敗その他の事由により飲用に供し難くなったときは、直ちに、その製造場(乙製造場)の所在地の所轄税務署長に届け出なければならない。

(2) (1)に規定する場合において、酒税の取締り又は保全上必要があると認めるときは、税務署長は、相当の期間を定めて、(1)の酒類の処分を禁止することができる。

3　酒類Ｂのこす前の状態のものについて、外部から不法に侵入した者により乙製造場において飲用された場合における酒税法上の取扱い

(1) 酒類製造者と酒類の製造者を規定している趣旨

酒税法では、国産酒類については、徴税技術の点から、酒類の生産、販売、消費の各段階の中で関係者の最も少ないものとして、酒類の製造者(酒類を自己の責任において製造した者をいい、その者が酒類の製造免許を受けているのかどうかは問わない。)を納税義務者としている。また、酒税の確保を図る必要から、酒類の製造については免許制度を採用しているが、酒類が、酒類の製造免許を受けた製造場を経ないで、消費の過程に流通される場合等があるため、酒類の製造免許を受けた者である酒類製造者以外の者に対しても酒類の製造者とみなすことにより、酒税の納税義務を負わせることにしている。

(2) 概　要

酒類Bのこす前の状態のものは、清酒の原料となる物品に発酵させる手段を講じたものでこす前のものに該当するため、酒税法上、もろみに該当する。

なお、外部から不法に侵入した者により乙製造場において当該もろみが飲用された場合には、次に掲げる規定により、外部から不法に侵入した者を酒類の製造者とみなすことにより、酒税の納税義務を負わせることにし、酒類製造者甲に不当な責任及び負担がかからないように考慮している。

(3) 移出等とみなす場合

もろみが酒類製造者甲の製造場(乙製造場)において飲用された場合において、その飲用につき、その製造者の責めに帰することができないときは、その飲用者(外部から不法に侵入した者)をそのもろみに係るもろみの製造者とみなし、その飲用者(外部から不法に侵入した者)が飲用の時にそのもろみをその製造場(乙製造場)から移出したものとみなす。

(4) その他の醸造酒等とみなす場合

もろみについて(3)の規定の適用があった場合においては、そのもろみは、その他の醸造酒とみなし、もろみの製造者(もろみの製造者とみなされた者を含む。)は、その他の醸造酒の製造者とみなす。

(5) 徴　収

(3)に規定する酒類に係る酒税は、(3)に規定する酒類の製造場(乙製造場)の所在地の所轄税務署長が、直ちにその酒税を徴収する。

(6) 納税地

酒税の納税地は、製造場(乙製造場)から移出した酒類に係るものについては、その製造場の所在地とする。

(MEMO)

問１　酒税法第29条の輸出免税の規定が設けられている趣旨について述べるとともに、輸出酒類販売場から移出する酒類に係る酒税の免税について、制度が設けられた趣旨、制度の概要及び酒税の免除の対象となる酒類の要件について述べなさい。

問２　次の①、②については、それぞれ一定の要件を満たすことで、酒税法第43条第１項から第９項《みなし製造》の規定は適用されないこととされている。

この場合における、①と②の要件の相違点について述べなさい。

①　酒類の消費者が自ら消費するため酒類と他の物品を混和する場合

②　酒類を専ら自己の営業場において飲用に供することを業とする者がその営業場において飲用に供するため当該営業場において酒類と他の物品を混和する場合

（第69回・令和元年度）

問１

１．酒税法第29条の輸出免税の規定が設けられている趣旨

酒税法の規定は、元来、日本国内において消費される酒類について酒税を課するため設けられている。したがって、酒類が日本国外で消費されるために輸出される場合については、その課税上の取扱いをどうするかという問題が生ずる。これは、仮に、輸出される酒類の酒税を免除しないとすれば、外国に輸出される酒類の酒税額は、輸出酒類の価格の一部を構成することになることから、酒税の金額に応じて輸出価格が高くなり、それだけ輸出が不利になることになる。そこで、国際間の重複課税を回避し、貿易の促進を図る見地から、外国に輸出される酒類に対しては、酒税を免除することにしている。

２．輸出酒類販売場から移出する酒類に係る酒税の免税制度が設けられた趣旨、制度の概要及び酒税の免除の対象となる酒類の要件

(1)　制度が設けられた趣旨

地方創生の促進及び日本産酒類の認知度向上を通じた輸出促進を図るため、酒類製造者が輸出酒類販売場の許可を受けた酒類の製造場において訪日外国人旅行者等の免税購入対象者に対して販売した酒類に係る酒税については、一定の手続の下に免除することにしている。

(2) 制度の概要

① 適用要件

輸出酒類販売場を経営する酒類製造者が、免税購入対象者に対し、免税酒類で輸出するため一定の方法により購入されるものを販売するため、その酒類をその輸出酒類販売場から移出する場合には、その移出に係る酒税を免除する。

② 手続等

イ．手　続

上記①の規定は、移出をした輸出酒類販売場を経営する酒類製造者が、その酒類が免税購入対象者によって一定の方法により購入されたことを証する書類もしくは電磁的記録を保存せず、又はその酒類につきその移出をした日の属する月分の納税申告書（期限内申告に限る。）にその酒類の税率の適用区分及びその区分ごとの課税標準たる数量の記載がない場合には、適用しない。

ただし、既にロ本文の規定等の適用があった場合又は災害その他やむを得ない事情によりその酒類が免税購入対象者によって一定の方法により購入されたことを証する書類もしくは電磁的記録を保存することができなかったことをその酒類製造者が証明した場合は、この限りでない。

ロ．即時徴収

輸出酒類販売場において免税酒類を一定の方法により購入した免税購入対象者が、本邦から出国する日までにその酒類を輸出しないときは、その出港地を所轄する税関長は、その者がその酒類を災害その他やむを得ない事情により亡失したため輸出しないことにつきその税関長の承認を受けた場合を除き、その者からその酒類の移出についての免除に係る酒税額に相当する酒税を直ちに徴収する。

ただし、既にイ本文に規定する場合に該当する事実が生じている場合等は、この限りでない。

ハ．譲渡等の禁止等

(イ) 免税酒類で免税購入対象者が輸出酒類販売場において一定の方法により購入したものは、国内において譲渡等をしてはならない。

ただし、その酒類の譲渡等をすることにつきやむを得ない事情がある場合において、その酒類の所在場所を所轄する税務署長の承認を受けたときは、この限りでない。

(ロ) 国内において(イ)に規定する酒類の譲渡等がされたときは、税務署長は、やむを得ない事情により承認を受けた者があるときはその者から、その承認を受けずに譲渡等がされたときはその酒類を譲り渡した者から、その酒類の移出についての免除に係る酒税額に相当する酒税を直ちに徴収する。

ただし、既にイ本文に規定する場合に該当する事実が生じている場合等は、この限りでない。

(3) 酒税の免除の対象となる酒類の要件

酒税の免除の対象となる酒類(免税酒類)とは、次に掲げる要件を全て満たす酒類とする。

① 輸出酒類販売場を経営する酒類製造者が製造免許を受けた酒類と同一の品目の酒類であること。

② 輸出酒類販売場を経営する酒類製造者が製造した酒類であること。

③ 上記(2)①の販売につき消費税法第8条の規定(輸出物品販売場における輸出物品の譲渡に係る免税)の適用を受ける酒類であること。

3．用語の意義

(1) 酒類製造者とは、酒類の製造免許を受けた者をいう。

(2) 輸出酒類販売場とは、輸出酒類販売場を経営することについて特に不適当と認められる事情がない酒類製造者の経営する酒類の製造場のうち、消費税法に規定する輸出物品販売場である酒類の製造場であって、免税購入対象者に対し免税酒類で一定の方法により購入されるものを販売することができるものとして、その酒類の製造場の所在地の所轄税務署長の許可を受けた販売場をいう。

問2

①と②の要件の相違点

①の「酒類の消費者が自ら消費するため酒類と他の物品を混和する場合」とは、自家用梅酒等を製造する場合のみなし製造の規定の適用除外が想定され、また、②の「酒類を専ら自己の営業場において飲用に供することを業とする者がその営業場において飲用に供するため当該営業場において酒類と他の物品を混和する場合」とは、みなし製造の規定の適用除外の特例が想定される。

以下、①と②の要件の相違点について述べる。

1．②の規定は、混和前の酒類は蒸留酒類に限定されているのに対し、①の規定は、混和前の酒類の品目等に関しては限定されていない。

なお、蒸留酒類とは、次に掲げる酒類(アルコール分が10度未満で発泡性を有するものを除く。)をいう。

(1) 連続式蒸留焼酎　(4) ブランデー
(2) 単式蒸留焼酎　(5) 原料用アルコール
(3) ウイスキー　(6) スピリッツ

2．②の規定で設けられている次の要件について、①の規定では設けられていない。

(1) ②の規定の適用を受ける混和は、1年間(4月1日から翌年3月31日までの間をいう。)において当該混和をする蒸留酒類の数量が営業場ごとに1kℓを超えない範囲内で行うものに限るものとする。

(2) ②の規定の適用を受ける混和をしようとする者は、その混和を開始する日の前日までに所定の事項を記載した申告書を営業場の所在地の所轄税務署長に提出しなければならない。

(3) ②の規定の適用を受ける混和をする者は、その混和をした蒸留酒類の月ごとの数量を帳簿に記載しなければならない。

【解答への道】

消費の直前に混和した場合のみなし製造の規定の適用除外を含めて解答しても、加点要因となる。

問1　株式会社甲（以下「甲社」という。）はA製造場において清酒の製造免許（輸出用清酒製造免許に該当しない。）を受けている。

甲社は、この度、酒類製造事業を拡大するため、A製造場において、ウイスキー及びリキュールの製造免許を申請したほか、B製造場を新設し、果実酒及び甘味果実酒の製造免許を申請した。

なお、ウイスキーの製造免許については、酒税法第7条第3項第4号に規定する試験のために酒類を製造しようとする場合に該当する製造免許である。

また、製造しようとする酒類が多品目にわたることから、製造工程上の都合により、A製造場及びB製造場の近接地にC製造場を新設し、もろみの製造免許を申請した。

以上の事実について、次の各問に答えなさい。

(1)　酒税法第10条各号のいずれかに該当するときは、税務署長は酒類の製造免許等を与えないことができることとされている。

同条各号に定める要件のうち、酒類の製造免許に係る要件を全て述べなさい。

ただし、もろみの製造免許にも共通する要件について述べる必要はない。

(2)　今回の甲社のA製造場、B製造場及びC製造場に係る製造免許の申請について、酒税法第7条第2項各号に定める数量の規定の取扱いを述べなさい。

問２　酒税法の特例を規定している構造改革特別区域法第27条(構造改革特別区域における清酒の製造体験のための酒税法の特例)について、次の各問に答えなさい。

(1)　構造改革特別区域法第27条第９項の規定の趣旨を述べなさい。

(2)　構造改革特別区域法第27条第１項の承認が失効した場合において、当該体験製造場に半製品又は酒類が現存し、かつ、同条第９項の規定の適用を受けなかったときの課税関係について述べなさい。

【参考資料】構造改革特別区域法(抄)

第27条

9　第六項又は第七項の規定により第一項の承認が取り消され、又は失効した場合において、当該体験製造場に半製品又は酒類が現存するときは、税務署長は、当該承認に係る者(合併により清酒の製造免許が消滅した場合で合併後存続する法人又は合併により設立した法人が清酒の製造免許を受けないときは当該法人を含み、第七項第六号から第八号までに該当する場合にあっては酒税法第二十条第一項の規定の適用がある者に限る。)又はその相続人(同法第十九条第二項又は第二十条第一項の規定の適用がある者に限る。)の申請により、期間を指定し、当該酒類(清酒に限る。以下この項において同じ。)の製造又は販売を継続させることができる。(以下省略)

(第70回・令和２年度改題)

過去本試験理論問題

問１

(1) **酒類の製造免許に係る要件**

① 酒類の製造免許の申請者が破産者で復権を得ていない場合その他その経営の基礎が薄弱であると認められる場合。

② 酒税の保全上酒類の需給の均衡を維持する必要があるため酒類の製造免許を与えることが適当でないと認められる場合。

③ 酒類の製造免許の申請者が酒類の製造について必要な技術的能力を備えていないと認められる場合又は製造場の設備が不十分と認められる場合。

(2) **酒税法第７条第２項各号に定める数量の規定の取扱い**

① Ａ製造場

イ．ウイスキーについて

ウイスキーの製造免許は、一の製造場において製造免許を受けた後１年間に製造しようとする酒類の見込数量が６kℓ（ウイスキーの法定製造数量）に達しない場合には、受けることができないが、試験のためにウイスキーを製造しようとする場合には、法定製造数量の規定は適用されない。

ロ．リキュールについて

リキュールの製造免許は、一の製造場において製造免許を受けた後１年間に製造しようとする酒類の見込数量が６kℓ（リキュールの法定製造数量）に達しない場合には、受けることができないが、清酒の製造免許を受けた者が、その製造免許を受けた製造場において、自己の製造した清酒を原料としてリキュールを製造しようとする場合には、法定製造数量の規定は適用されない。

② Ｂ製造場

果実酒の製造免許は、一の製造場において製造免許を受けた後１年間に製造しようとする酒類の見込数量が６kℓ（果実酒の法定製造数量）に達しない場合には、受けることができない。また、甘味果実酒の製造免許は、一の製造場において製造免許を受けた後１年間に製造しようとする酒類の見込数量が６kℓ（甘味果実酒の法定製造数量）に達しない場合には、受けることができない。

しかし、一の製造場において果実酒及び甘味果実酒を製造しようとする場合で、製造免許を受けた後１年間におけるその製造見込数量の合計が６kℓ以上であるときは、法定製造数量の規定は適用されない。

③ Ｃ製造場

もろみの製造免許については、法定製造数量の規定の取扱いはない。

問２

(1) 構造改革特別区域法第27条第９項の規定の趣旨

構造改革特別区域法第27条第１項の承認が取り消され、又は失効した場合には、直ちに体験製造場において清酒の製造行為又は販売行為をすることができなくなるが、それでは製造途中の半製品を全く無駄にするか、又はその価値を著しく減少させることになり、また、残品の整理もできないことになるため、申請があった場合には、必要最小限の範囲内において製造行為又は販売行為を認めるという例外措置を置いている。

(2) 課税関係

構造改革特別区域法第27条第１項の承認が失効した場合において、当該体験製造場に半製品又は酒類が現存し、かつ、同条第９項の規定の適用を受けなかったときは、その該当することとなった時に当該酒類又は酒母若しくはもろみをその体験製造場から移出したものとみなし、酒税が課税される。この場合において、酒母又はもろみは、その他の醸造酒とみなし、酒母又はもろみの製造者は、その他の醸造酒の製造者とみなす。

【解答への道】

● 清酒の製造体験のための酒税法の特例

1．清酒は地域の経済や文化の発展の一端を担っていることから、清酒の製造体験の実施を通じて地域のブランド価値の更なる増進、人の交流・賑わいの確保による地域活性化を進めるために、清酒の製造免許を受けた者が、構造改革特別区域内において清酒の製造体験を実施しようとする場合における酒税法の特例措置である。

2．地方公共団体が、構造改革特別区域内に所在する当該区域の魅力の増進に資する施設において、清酒の製造体験の機会を提供することを通じて地域の活性化を図ることが必要であると認めて内閣総理大臣の認定を申請し、その認定を受けたときは、既存の製造場を有する所定の清酒の製造免許を受けた者が、既存の製造場の所在地の所轄税務署長に申請し、その承認を受けた場合に、当該施設内に設けた清酒の製造体験事業を実施しようとする製造場と既存の製造場を一の清酒の製造場とみなして酒税法等を適用することにしている。

3．一定の事由により税務署長の承認が取り消された場合やその効力が失効した場合には、酒税法の規定と同様に酒税の納税義務等や必要な行為の継続の規定が設けられている。

問１　酒類の製造免許を受けた者が、自ら製造した酒類を輸出する場合において、製造場から移出した当該酒類に係る酒税の免除を受けるための手続について、酒類製造者が自ら輸出する場合及び輸出業者を通じて輸出する場合をそれぞれ説明しなさい。

　ただし、必要な書類の省略に関する規定については、説明を要しない。また、租税特別措置法に関しては考慮しない。

問２　次の(1)～(3)の問に答えなさい。

(1)　酒類の販売業をしようとする者は、販売場ごとにその販売場の所在地の所轄税務署長の免許を受けなければならないが、一定の場合には、免許を受けずに販売業を行うことができることとされている。酒類の販売業に免許制度が採用されている趣旨を説明するとともに、免許を受けずに販売業を行うことができる場合及びその場合に販売できる酒類の範囲について説明しなさい。

　ただし、酒場、料理店その他酒類をもっぱら自己の営業場において飲用に供する業については、説明を要しない。

(2)　酒場、料理店その他酒類をもっぱら自己の営業場において飲用に供する業については、酒類の販売業免許を要しないこととされているが、その趣旨について説明しなさい。

(3)　甲が、現に酒類の販売業免許を受けて酒類の販売業を営む乙から、その酒類の販売業免許に係る販売業の全部を譲り受ける場合において、甲が引き続きその販売業を営むために必要な酒税法上の手続及び当該手続による法律効果について説明しなさい。　(第71回・令和３年度)

問１

(1) 自ら輸出する場合

酒類製造者は、輸出免税の規定の適用を受けるための以下の手続をしなければならない。

輸出免税の規定は、移出をした酒類製造者が、その酒類につきその移出をした日の属する月分の納税申告書（期限内申告に限る。）にその酒類の税率の適用区分及びその区分ごとの課税標準たる数量を記載し、かつ、その酒類の輸出に関する明細を帳簿に記載する方法により明らかにしている場合に限り、適用する。

上記の酒類製造者は、その酒類につき、次に掲げる区分に応じ、それぞれに定める方法によりその明細を明らかにしなければならない。

① ②以外

輸出許可証等に基づいて、次に掲げる事項を帳簿に記載する方法

イ その酒類の税率の適用区分及びその区分ごとの数量

ロ 輸出の年月日及び仕向地

ハ 輸出港の所轄税関

ニ その酒類の輸出をした者がその酒類の酒類製造者以外の者であるときは、その輸出をした者の住所及び氏名又は名称

ホ その他参考となるべき事項

② その酒類を輸出する前に災害その他やむを得ない事情により亡失した場合

その亡失の場所の最寄りの税務署又は税関の税務署長又は税関長から交付を受けた亡失証明書に基づいて、次に掲げる事項を帳簿に記載する方法

イ 亡失の年月日、時刻、場所及び原因

ロ 亡失した酒類の税率の適用区分、その区分ごとの数量、移出をした年月日、移出先並びに移出をした製造場の所在地及び名称

ハ その他参考となるべき事項

(2) 輸出業者を通じて輸出する場合

酒類製造者は、未納税移出の規定の適用を受けるための以下の手続をしなければならない。

① 原則手続

未納税移出の規定は、移出をした酒類製造者が、その移出をした日の属する月分の納税申告書（期限内申告に限る。）にその酒類が未納税移出酒類に該当すること及びその酒類が所定の移入場所に移入されたことについての明細を記載した書類を添付しない場合には、適用しない。

② 延期手続

やむを得ない事情があるため①に規定する書類を①の申告書に添付することができないときは、その書類は、次のそれぞれに掲げる区分に応じ、それぞれに掲げる日までに提出すれば足りるものとする。

イ　酒類製造者が、その書類をその申告書の提出期限から３月以内に提出することを予定している場合において、その予定日をその申告書の提出先の税務署長に届け出たとき。……その予定日

ロ　酒類製造者が、その書類をその申告書の提出期限から３月を経過した日以後に提出することを予定している場合において、その申告書の提出先の税務署長の承認を受けたとき。……その税務署長が指定した日

③　亡失手続

未納税移出をした酒類を所定の移入場所に移入する前に、災害その他やむを得ない事情により亡失した場合において、その亡失の場所の最寄りの税務署の税務署長に亡失の事実を届け出て、その税務署長から亡失証明書の交付を受けたときは、その証明書は、①に規定する書類に代えて用いることができる。

輸出業者は、未納税移出の規定及び輸出免税の規定の適用を受けるための以下の手続をしなければならない。

①　未納税移出の移入者の手続

未納税移出をした酒類を所定の移入場所に移入した者は、その酒類の移入の目的、税率の適用区分及びその区分ごとの数量その他一定の事項を記載した書類を、その場所の所在地の所轄税務署長に、その移入をした日の属する月の翌月末日までに提出しなければならない。

②　輸出免税の手続

上記(1)と同様

(3)　用語の意義

①　酒類製造者とは、酒類の製造免許を受けた者をいう。

②　輸出業者とは、他から購入した酒類の販売を業とする者で常時酒類の輸出を行うものをいう。

問２

(1)　酒類の販売業に免許制度が採用されている趣旨並びに免許を受けずに販売業を行うことができる場合及びその場合に販売できる酒類の範囲

①　酒類の販売業に免許制度が採用されている趣旨

酒類販売業者は、酒類が製造場から移出されて一般消費者の手に渡るまでの流通過程の部門を担当しており、いわば酒税の中間徴税機関ともいえる地位にあることから、その乱立を防止して取引の混乱を防ぎ、酒税の徴収について不安のないようにする必要があるため、酒類の販売業については、免許制度が採られている。

②　免許を受けずに販売業を行うことができる場合

酒類製造者がその製造免許を受けた製造場においてする酒類の販売業については、販売業免許を要しない。

③　販売できる酒類の範囲

上記②において免許を受けずに販売できる酒類は、その製造場について製造免許を受けた酒類と同一の品目の酒類及び製造免許を受けないで製造した原料用酒類で所轄税務署長の承認を受けたものに限る。

(2) 酒場、料理店その他酒類をもっぱら自己の営業場において飲用に供する業について酒類の販売業免許を要しないこととする趣旨

酒場、料理店その他酒類をもっぱら自己の営業場において飲用に供する業については、その経営の実態は、酒類の消費者の立場に近いため、酒類の販売業免許を要しないこととされている。

(3) 酒類の販売業免許に係る販売業の全部を譲り受ける場合において引き続きその販売業を営むために必要な酒税法上の手続及び当該手続による法律効果

①　酒税法上の手続

酒類販売業者（個人に限る。）が酒類の販売業免許に係る販売業の全部の譲渡（以下「事業譲渡」という。）を行った場合において、引き続きその販売業をしようとする譲受者は、一定の手続により、遅滞なく、その旨をその販売場の所在地（販売場がない場合には、譲受者の住所地）の所轄税務署長に申告しなければならない。

②　当該手続による法律効果

①の申告をした譲受者が販売業免許の欠格要件に規定する者に該当しないときは、その譲受者は、その事業譲渡の時において、譲渡者が受けていた酒類の販売業免許を受けたものとみなし、その譲渡者に係る販売業免許は、その効力を失う。

(4) 用語の意義

① 酒類の販売業とは、酒類の販売業又は販売の代理業もしくは媒介業をいう。

② 酒類製造者とは、酒類の製造免許を受けた者をいう。

③ 酒類販売業者とは、酒類の販売業免許を受けた者をいう。

酒類製造者甲はA製造場において、酒類製造者乙はB製造場において、清酒の製造免許を受けている。

甲は、乙から清酒の製造を受託し、A製造場において製造した清酒について、毎月定期的に乙のB製造場に移出している。乙は、A製造場から移入した清酒について、自社の商標を表示して、商品として移出している。

上記を前提として、次の**問１**～**問４**の問に答えなさい。

問１　酒類の製造者は、原則として、その製造場から移出した酒類について酒税を納付する義務があるが、一定の要件を満たした場合には、酒税を免除して移出すること(以下「未納税移出」という。)が可能となる。酒税法上、未納税移出が認められている趣旨について説明しなさい。

問２　A製造場からB製造場への清酒の移出について、甲が未納税移出の適用を受ける場合の手続を説明しなさい。また、乙における手続についても説明しなさい。

問３　甲は、A製造場からB製造場への清酒の未納税移出について、毎月定期的に発生することから、手続を簡素化したいと考えている。この場合の甲の手続について、説明しなさい。

問４　甲は、A製造場において製造した清酒について、原料用酒類とする目的で、乙のB製造場に未納税移出しようとしたところ、輸送の事情により、清酒がA製造場からの移出後、B製造場に移入されるまでに相当の日数を要することとなった。当該移出に係る納税申告書の提出期限から、４週間で乙から当該取引に係る書面が送付される予定であるが、この場合の酒税の免除を受けるための手続について説明しなさい。

(第72回・令和４年度)

問１　未納税移出が認められている趣旨

酒類が製造場から移出されるときは、原則として、酒税の納税義務が発生することになるが、一旦製造場から移出された酒類であっても、直ちにそれが消費面に流れず、他の酒類の原料として使用されるような場合がある。このように、まだ消費のための流通過程に入らない段階において酒税を課税することは、消費税本来の建前から好ましくないため、移出時課税の原則に対して例外規定を設け、酒類を法定の手続に従ってその製造場から移出するときは、その移出した酒類に対する酒税を免除することにしている。

問２

1　甲(未納税移出をした酒類製造者)が未納税移出を受けるための手続

未納税移出の規定は、移出をした酒類製造者が、その移出をした日の属する月分の納税申告書（期限内申告に限る。）にその酒類が未納税移出酒類に該当すること及びその酒類が所定の移入場所に移入されたことについての明細を記載した書類を添付しない場合には、適用しない。

2　乙(未納税移入をした酒類製造者)の手続

未納税移出をした酒類を所定の移入場所に移入した者は、その酒類の移入の目的、税率の適用区分及びその区分ごとの数量その他一定の事項を記載した書類を、その場所の所在地の所轄税務署長に、その移入をした日の属する月の翌月末日までに提出しなければならない。

問３　甲の手続の簡素化のための手続

甲は、所轄税務署長へ所定の申請書を提出し承認を受けることで、手続を簡素化することができる。

未納税移出をした酒類の移入場所が、次に掲げる場所に該当する場合において、未納税移出をした酒類製造者が、その酒類につき、その移出をした日の属する月分の納税申告書（期限内申告に限る。）に未納税移出をした酒類の税率の適用区分及びその区分ごとの課税標準たる数量を記載し、かつ、その酒類が未納税移出酒類に該当すること及びその酒類がその場所に移入されたことについての明細を帳簿により明らかにしているときは、問２の１に規定する書類の添付を要しない。

・　継続的に未納税移出酒類が移入される場所で、その酒類の移出をする製造場の所在地の所轄税務署長の承認を受けたもの

問４　甲が未納税移出に係る納税申告書の提出期限内に必要な書類を添付できない場合の酒税の免除を受けるための手続

甲は、申告書の提出先の税務署長に所定の書面により届け出ることで、手続を延期することができる。

やむを得ない事情があるため問２の１に規定する書類を問２の１の申告書に添付することができないときは、その書類は、次に掲げる日までに提出すれば足りるものとする。

過去本試験理論問題

・　酒類製造者が、その書類をその申告書の提出期限から３月以内に提出することを予定している場合において、その予定日をその申告書の提出先の税務署長に届け出たとき。……その予定日

用語の意義

酒類製造者とは、酒類の製造免許を受けた者をいう。

(MEMO)

問1

次の(1)～(5)の問に答えなさい。

(1)　酒類等が酒類等の製造場で飲用されたときの酒税の納税義務の成立について述べなさい。

(2)　酒母又はもろみを製造しようとする者は、酒類の製造免許とは別に、製造場ごとに、その製造場の所在地の所轄税務署長から、酒母又はもろみの製造免許を受けなければならないが、酒母又はもろみの製造免許を要しない場合がある。どのような場合に製造免許を要しないか３つ述べなさい。

(3)　保税地域から酒類が引き取られる場合の酒税の申告の取扱いについて述べなさい。

(4)　酒類の製造場又は保税地域以外の場所で酒類の詰め替えをしようとする場合の手続について述べなさい。

(5)　災害被害者に対する租税の減免、徴収猶予等に関する法律第７条に規定する被災酒類に係る酒税相当額の控除について、その適用を受けるための要件について述べなさい。

問2

酒税法第30条の６に規定する納期限の延長に関し、酒類を保税地域から引き取ろうとする者が特例輸入者である場合と、特例申告者(特例輸入者及び特例委託輸入者)以外の者である場合における取扱いの相違点について述べなさい。

(第73回・令和５年度改題)

問1

(1) 酒類等が酒類等の製造場で飲用されたときの酒税の納税義務の成立について

①　製造者の責めに帰することができる製造場内飲用

酒類等が酒類等の製造場において飲用された場合において、その飲用につき、その製造者の責めに帰することができるときは、その飲用の時にその酒類等をその製造場から移出したものとみなす。

② 製造者の責めに帰することができない製造場内飲用

酒類等が酒類等の製造場において飲用された場合において、その飲用につき、その製造者の責めに帰することができないときは、その飲用者をその酒類等に係る酒類等の製造者とみなし、その飲用者がその飲用の時にその酒類等をその製造場から移出したものとみなす。

(2) 酒母又はもろみの製造免許を要しない場合

① 酒類製造者が、その製造免許を受けた製造場において、その酒類の製造の用に供するため、酒母又はもろみを製造する場合。

② もろみの製造免許を受けた者が、その製造免許を受けた製造場において、そのもろみの製造の用に供するため、酒母を製造する場合。

③ アルコール事業法の規定によりアルコールの製造の許可または承認を受けた者が、そのアルコールの製造の用に供するため、酒母又はもろみを製造する場合。

(3) 保税地域から酒類が引き取られる場合の酒税の申告の取扱い

① 関税法に規定する申告納税方式が適用される酒類を保税地域から引き取ろうとする者は、その引取りに係る酒税を免除されるべき場合を除き、所定の事項を記載した申告書を税関長に提出しなければならない。

② ①に規定する者がその引取りに係る酒類につき関税法に規定する特例申告を行う場合には、その酒類に係る①の申告書の提出期限は、その酒類の引取りの日の属する月の翌月末日とする。

③ 関税法に規定する賦課課税方式が適用される酒類を保税地域から引き取ろうとする者は、その引き取りに係る酒税を免除されるべき場合を除き、その引き取る酒類に係る所定の事項を記載した申告書を税関長に提出しなければならない。

(4) 酒類の製造場又は保税地域以外の場所で酒類の詰め替えをしようとする場合の手続

酒類製造者が、酒類の製造場以外の場所で酒類を詰め替える行為等をしようとする場合には、その行為をしようとする日の２日前までに、所定の事項を記載した届出書をその場所の所在地の所轄税務署長に提出しなければならない。

(5) 被災酒類に係る酒税相当額の控除について、その適用を受けるための要件

① 酒類製造者又は酒類の販売業者が販売のために所持する酒類で酒税を課せられたものが災害により亡失し、滅失し、又はその本来の用途に供することができない状態になった場合においては、被災酒類について課せられた酒税額に相当する金額（被災酒類についてその酒類製造者又は酒類の販売業者が保険金等により損失を補てんされたときは、一定の金額を控除した金額）をその被災酒類に係る酒税の納税義務者がその災害にあった日以後において納付すべき酒税額から控除する。

ただし、その納税義務者がその酒類製造者又は酒類の販売業者である場合を除き、その控除すべき金額は、その酒類製造者又は酒類の販売業者がその納税義務者の負担によりその被災酒類について損失の補償を受けた金額を限度とする。

② ①の規定は、被災酒類について酒税法に規定する戻入控除の規定の適用がある場合においては、これを適用しない。

問２　引取酒類に係る納期限の延長の相違点

引取酒類に係る納期限の延長に関して、酒類を保税地域から引き取ろうとする者が特例輸入者である場合と、特例申告者以外の者である場合における取扱いの相違点は以下のとおりである。

1　納期限の延長に係る申請書の提出期限

納期限の延長の適用を受けようとする場合、特例輸入者は、その酒類の引取りの日の属する月の翌月末日までに、納期限の延長に係る申請書を税関長に提出する必要がある。一方、特例申告者以外の者は、その酒類を保税地域から引き取る時までに、納期限の延長に係る申請書を税関長に提出する必要がある。

2　適用方法

納期限の延長を受けるためには、両者ともに以下の手続を要件とする。

① 関税法に規定する申告納税方式適用酒類に係る申告書を提出期限内に提出していること

② 納期限内に納期限の延長についての申請書を税関長に提出していること

特例輸入者は、①及び②の手続を行ったうえで、税関長が、その引き取ろうとする者が酒類の販売代金の回収に相当期間を要することその他これに類する事由により申告書に記載した酒税額に相当する酒税をその納期限内に納付することが著しく困難であると認める場合に限り、１月以内、酒税の納期限の延長の適用を受けることができる。この場合において、その税関長は、酒税の保全のため必要があると認められるときは、一定の方法により、その引き取ろうとする者に対し、その酒税額の全部又は一部に相当する担保の提供を命ずることができる。

一方、特例申告者以外の者は、①及び②に加えて申告書に記載した酒税額の全部又は一部に相当する担保を提供することにより、１月以内、酒税の納期限の延長の適用を受けることができる。さらに税関長が酒類の販売代金の回収に相当期間を要することその他これに類する事由によりその担保の額に相当する酒税を１月以内に納付することが困難であると認めた場合には、納期限の延長期間は２月以内となる。

(MEMO)

税理士受験シリーズ

2025年度版《ねんどばん》　40　酒税法《しゅぜいほう》　理論《りろん》マスター

（昭和61年度版　1986年１月10日　初版　第１刷発行）

2024年８月23日　初　版　第１刷発行

編 著 者　ＴＡＣ株式会社（税理士講座）
発 行 者　多　田　敏　男
発 行 所　ＴＡＣ株式会社　出版事業部（ＴＡＣ出版）
〒101-8383
東京都千代田区神田三崎町3-2-18
電話03(5276)9492(営業)
FAX 03(5276)9674
https://shuppan.tac-school.co.jp
印　　刷　株式会社 ワ　コ　ー
製　　本　株式会社 常　川　製　本

ISBN 978-4-300-11340-0
N.D.C. 336

請求は
らから!!

詳しい資料をお送りいたします。
右記電話番号もしくはTACホームページ
(https://www.tac-school.co.jp/)にてご請求ください。

通話無料 0120-509《ゴウカク》-117《イイナ》
受付時間 10:00〜19:00(月〜金) 10:00〜17:00(土・日・祝)
※営業時間短縮の場合がございます。詳細はHPでご確認ください。

“入学前サポート”を活用しよう!

無料セミナー &個別受講相談

無料セミナーでは、税理士の魅力、試験制度、科目選択の方法や合格のポイントをお伝えしていきます。セミナー終了後は、個別受講相談でみなさんの疑問や不安を解消します。

TAC 税理士 セミナー 検索

https://www.tac-school.co.jp/kouza_zeiri/zeiri_gd_gd.htm

無料Webセミナー

TAC動画チャンネルでは、校舎で開催しているセミナーのほか、Web限定のセミナーも多数配信しています。受講前にご活用ください。

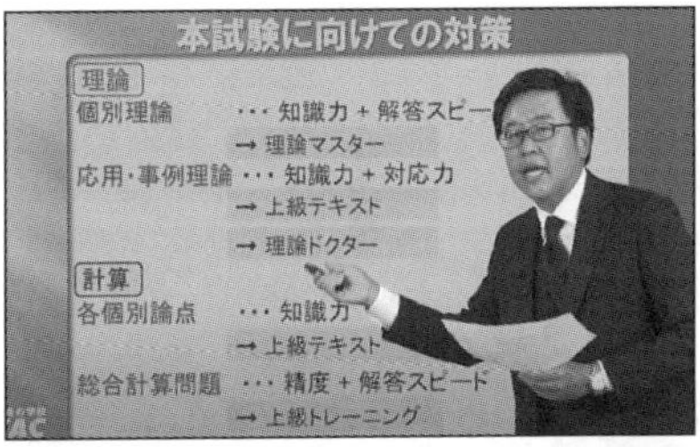

TAC 税理士 動画 検索

https://www.tac-school.co.jp/kouza_zeiri/tacchannel.html

体験入学

教室講座開講日（初回講義）は、お申込み前でも無料で講義を体験できます。講師の熱意や校舎の雰囲気を是非体感してください。

TAC 税理士 体験 検索

https://www.tac-school.co.jp/kouza_zeiri/zeiri_gd_taiken.html

税理士11科目 Web体験

「税理士11科目Web体験」では、TAC税理士講座で開講する各科目・コースの初回講義をWeb視聴いただけるサービスです。講義の分かりやすさを確認いただき、学習のイメージを膨らませてください。

TAC 税理士 検索

https://www.tac-school.co.jp/kouza_zeiri/taiken_form.html

税理士講座のご案内

チャレンジコース

4月上旬開講!

受験経験者・独学生待望のコース!

開講科目	簿記・財表・法人 所得・相続・消費

基礎知識の底上げ × 徹底した本試験対策

チャレンジ講義 ＋ チャレンジ演習 ＋ 直前対策講座 ＋ 全国公開模試

受験経験者・独学生向けカリキュラムが一つのコースに!

※チャレンジコースには直前対策講座（全国公開模試含む）が含まれています。

直前対策講座

5月上旬開講!

本試験突破の最終仕上げ!

直前期に必要な対策が
すべて揃っています!

- 徹底分析!「試験委員対策」
- 即時対応!「税制改正」
- 毎年的中!「予想答練」

※直前対策講座には全国公開模試が含まれています。

学習メディア	教室講座・ビデオブース講座 Web通信講座・DVD通信講座・資料通信講座

＼ 全11科目対応 ／

開講科目	簿記・財表・法人・所得・相続・消費 酒税・固定・事業・住民・国徴

チャレンジコース・直前対策講座ともに詳しくは2月下旬発刊予定の
「チャレンジコース・直前対策講座パンフレット」をご覧ください。

会計業界の就職サポートは
安心のTAC
TACキャリアエージェントなら
BIG4・国内大手法人
就職支援実績多数!
税理士学習中の方
日商簿記学習中の方
会計士／USCPA学習中の方
会計業界で就業中の方で転職をお考えの方
会計業界でのお仕事に興味のある方
「残業なしで勉強時間を確保したい…」
「簿記３級から始められる仕事はあるの？」
といったご相談も大歓迎です！
スキマ時間に
PC・スマホ・タブレットで
WEB面談実施中!
忙しくて時間の取れない方、遠方にお住まいの方、ぜひご利用ください。
詳細はこちら!
https://tacnavi.com/accountant/web-mendan/
完全予約制
ご相談は無料です。会計業界を知り尽くしたプロのコンサルタントにご相談ください。
※相談時間は原則としてお一人様60分とさせていただきます。
【相談会場】
東京オフィス 03-3518-6775
大阪オフィス 06-6371-5851
名古屋オフィス（登録会場） 0120-757-655
shoukai@tac-school.co.jp
メールでご予約の際は、件名に「相談希望のオフィス」をご入力ください。
（例：相談希望 東京）
TAC
会計士・税理士専門の転職サポートサービス
キャリアエージェント

2025年度版 税理士試験対策書籍のご案内

TAC出版では、独学用、およびスクール学習の副教材として、各種対策書籍を取り揃えています。学習の各段階に対応していますので、あなたのステップに応じて、合格に向けてご活用ください!

（刊行内容、発行月、装丁等は変更することがあります）

●2025年度版 税理士受験シリーズ

「税理士試験において長い実績を誇るTAC。このTACが長年培ってきた合格ノウハウを“TAC方式”としてまとめたのがこの「税理士受験シリーズ」です。近年の豊富なデータをもとに傾向を分析、科目ごとに最適な内容としているので、トレーニング演習に欠かせないアイテムです。」

簿記論

01	簿記論	個別計算問題集	（8月）
02	簿記論	総合計算問題集 基礎編	（9月）
03	簿記論	総合計算問題集 応用編	（11月）
04	簿記論	過去問題集	（12月）
	簿記論	完全無欠の総まとめ	（11月）

財務諸表論

05	財務諸表論	個別計算問題集	（8月）
06	財務諸表論	総合計算問題集 基礎編	（9月）
07	財務諸表論	総合計算問題集 応用編	（12月）
08	財務諸表論	理論問題集 基礎編	（9月）
09	財務諸表論	理論問題集 応用編	（12月）
10	財務諸表論	過去問題集	（12月）
33	財務諸表論	重要会計基準	（8月）
	※財務諸表論	重要会計基準 暗記音声	（8月）
	財務諸表論	完全無欠の総まとめ	（11月）

法人税法

11	法人税法	個別計算問題集	（11月）
12	法人税法	総合計算問題集 基礎編	（10月）
13	法人税法	総合計算問題集 応用編	（12月）
14	法人税法	過去問題集	（12月）
34	法人税法	理論マスター	（8月）
	※法人税法	理論マスター 暗記音声	（9月）
35	法人税法	理論ドクター	（12月）
	法人税法	完全無欠の総まとめ	（12月）

所得税法

15	所得税法	個別計算問題集	（9月）
16	所得税法	総合計算問題集 基礎編	（10月）
17	所得税法	総合計算問題集 応用編	（12月）
18	所得税法	過去問題集	（12月）
36	所得税法	理論マスター	（8月）
	※所得税法	理論マスター 暗記音声	（9月）
37	所得税法	理論ドクター	（12月）

相続税法

19	相続税法	個別計算問題集	（9月）
20	相続税法	財産評価問題集	（9月）
21	相続税法	総合計算問題集 基礎編	（9月）
22	相続税法	総合計算問題集 応用編	（12月）
23	相続税法	過去問題集	（12月）
38	相続税法	理論マスター	（8月）
	※相続税法	理論マスター 暗記音声	（9月）
39	相続税法	理論ドクター	（12月）

酒税法

24	酒税法	計算問題+過去問題集	（2月）
40	酒税法	理論マスター	（8月）

書籍の正誤に関するご確認とお問合せについて

書籍の記載内容に誤りではないかと思われる箇所がございましたら、以下の手順にてご確認とお問合せをしてくださいますよう、お願い申し上げます。

なお、正誤のお問合せ以外の**書籍内容に関する解説および受験指導などは、一切行っておりません。**

そのようなお問合せにつきましては、お答えいたしかねますので、あらかじめご了承ください。

1 「Cyber Book Store」にて正誤表を確認する

TAC出版書籍販売サイト「Cyber Book Store」の
トップページ内「正誤表」コーナーにて、正誤表をご確認ください。

CYBER TAC出版書籍販売サイト
BOOK STORE

URL:https://bookstore.tac-school.co.jp/

2 1の正誤表がない、あるいは正誤表に該当箇所の記載がない ⇒ 下記①、②のどちらかの方法で文書にて問合せをする

★ご注意ください★

お電話でのお問合せは、お受けいたしません。

①、②のどちらの方法でも、お問合せの際には、「お名前」とともに、
「対象の書籍名(○級・第○回対策も含む)およびその版数(第○版・○○年度版など)」
「お問合せ該当箇所の頁数と行数」
「誤りと思われる記載」
「正しいとお考えになる記載とその根拠」
を明記してください。

なお、回答までに1週間前後を要する場合もございます。あらかじめご了承ください。

① ウェブページ「Cyber Book Store」内の「お問合せフォーム」より問合せをする

【お問合せフォームアドレス】

https://bookstore.tac-school.co.jp/inquiry/

② メールにより問合せをする

【メール宛先　TAC出版】

syuppan-h@tac-school.co.jp

※土日祝日はお問合せ対応をおこなっておりません。

※正誤のお問合せ対応は、該当書籍の改訂版刊行月末日までといたします。

乱丁・落丁による交換は、該当書籍の改訂版刊行月末日までといたします。なお、書籍の在庫状況等により、お受けできない場合もございます。

また、各種本試験の実施の延期、中止を理由とした本書の返品はお受けいたしません。返金もいたしかねますので、あらかじめご了承くださいますようお願い申し上げます。

TACにおける個人情報の取り扱いについて

■お預かりした個人情報は、TAC(株)で管理させていただき、お問合せへの対応、当社の記録保管にのみ利用いたします。お客様の同意なしに業務委託先以外の第三者に開示、提供することはございません(法令等により開示を求められた場合を除く)。その他、個人情報保護管理者、お預かりした個人情報の開示等及びTAC(株)への個人情報の提供の任意性については、当社ホームページ(https://www.tac-school.co.jp)をご覧いただくか、個人情報に関するお問い合わせ窓口(E-mail:privacy@tac-school.co.jp)までお問合せください。

(2022年7月現在)